Méthode de français

Cahier d'activités

Corina Brillant • Sophie Erlich • Céline Himber

hachette
FRANÇAIS LANGUE ÉTRANGÈRE
www.hachettefle.fr

Crédits iconographiques

Photo de couverture : Shutterstock.

Étape 1 p. 8 Fotolia Voltaire © Georgios Kollidas. **Étape 2 p. 11 Getty** Tal © Pascal Le Segretain – **p. 16 Getty** Soprano © David Wolff - Patrick ; **Getty** Yelle © Karl Walter ; **Getty** Justice © David Wolff - Patrick ; **Getty** Louane © Kristy Sparow. **Étape 3 p. 19 Fotolia** drapeaux © noche. **Étape 4 p. 29 Fotolia** garçon blond © JPC-PROD – **p. 31 Fotolia** dessin © Sergey Nivens ; **Getty** A. Lacazette © Jean Catuffe – **Getty** P. Leprevost © Jean Catuffe – **p. 32 Getty** double dutch © Frederic Stevens – **p. 33 Fotolia** danseuse © luismolinero. **Étape 5 p. 41 Fotolia** photo a © Sergey Nivens. **Étape 7 p. 56 Leemage** photo 2 : lampe Miss Sissy concue par Philippe Starck en 1990 pour Kartell © MP ; **Leemage** photo 3 : chaise Antony par Jean Prouvé, 1954 © ADAGP/De Agostini – **Scala** photo 1 : Djinn chaise longue, 1965, par Serge Mouille © 2015 Digital Image, The Museum of Modern Art, New York/Scala, Florence ; **Scala** photo 4 : table par Arman, 1996 © 2015 Christie's Images/London, Scala, Florence. **Étape 8 p. 62 Fotolia** planisphère © mimacz.

Autres photos : Shutterstock.

Nous avons fait notre possible pour obtenir les autorisations de reproduction des documents publiés dans cet ouvrage. Dans le cas où des omissions ou des erreurs se seraient glissées dans nos références, nous y remédierons dans les éditions à venir.

Couverture : Nicolas Piroux
Conception graphique : Anne-Danielle Naname – Barbara Caudrelier
Mise en pages : Barbara Caudrelier
Secrétariat d'édition : Sarah Billecocq
Illustrations : Aurélien Heckler
Enregistrements : Quali'sons

ISBN 978-2-01-401524-9
© HACHETTE LIVRE, 2016
58, rue Jean Bleuzen, CS 70007, 92178 Vanves Cedex, France.

http://www.hachettefle.fr

Disons et épelons nos noms et prénoms

ÉCOUTER

1 🔒 **Écoute et coche la bonne réponse.**

a Mon pseudo sur Internet, c'est :
1 ☐ Tuija.
2 ☐ Twiga.
3 ☐ Dwega.

b Moi, sur Internet, je m'appelle :
1 ☐ Nanaelle.
2 ☐ Manaelle.
3 ☐ Mamaelle.

c Moi, sur Internet, je suis :
1 ☐ Popaye.
2 ☐ Popeye.
3 ☐ Papaye.

VOCABULAIRE

2 🔒 **L'alphabet. Écoute et entoure les lettres correctes.**

ê C ù à e â i ë a î û ô u ç ï é

3 **Les personnes et l'identité. Trouve les mots et complète la grille.**

Horizontal	Vertical
1 ÇRAGON	2 TADOSCENLE
5 OMN	3 ODETASENLEC
6 LEFIL	4 MIA
8 NOURMS	7 MAIE
9 NÉPMOR	

PRONONCER

4 🔒 **L'alphabet. Écoute et récite.**

A B C D Moi, c'est Didier
E F G H Moi, c'est Ayache
I J K L Moi, c'est Maëlle

M N O P C'est Cassiopée
Q R S T Moi, Timothée
U V W Je m'appelle Hervé

X Y Z Et moi, c'est Fred

2

Entrons en contact !

Le verbe *s'appeler*

1 🔊 **4** **Complète les phrases avec le verbe *s'appeler*. Écoute pour vérifier.**

a Il .... Quentin.

b Elles .... Céleste et Camille.

c Nous .... Théophile et Mathis.

d Je .... Lucie.

e Tu .... comment ?

f Et vous, vous .... comment ?

Saluer et prendre congé

2 **Trouve l'intrus.**

a Bonjour ! / Coucou ! / Au revoir !

b Au revoir ! / Salut ! / Coucou, ça va ?

c Bonjour Léa ! / Je m'appelle Léa ! / Salut Léa !

d Salut les copains ! / Bonjour monsieur ! / Coucou les amis !

Se présenter et présenter quelqu'un

3 **Classe les phrases dans le tableau, quand c'est possible.**

a Je m'appelle Quentin.

b Coucou Louise !

c Au revoir monsieur.

d Voici Martin !

e Les amis, je vous présente Théo !

f Moi, c'est Victor.

Pour se présenter	Pour présenter quelqu'un
....	....
....	....
....	....
....	....
....	....

4 **Reconstitue les deux dialogues. Puis associe-les aux dessins.**

– Salut Emma ! Moi, je m'appelle Lucas.

– Je m'appelle Samuel, monsieur.

– ~~Coucou les copains ! Je vous présente Emma.~~

– Bonjour, tu t'appelles comment ?

– Et vous deux ?

– Et moi, Nina. Salut Emma !

– ~~Moi, c'est Amel et, elle, c'est Myriam.~~

Dialogue 1	Dialogue 2
1. Coucou les copains, je vous présente Emma.	1. ....
2.	2. ....
3.	3. ....
	4. Moi, c'est Amel et, elle, c'est Myriam.

ⓐ Dialogue ....

ⓑ Dialogue ....

Donnons des informations personnelles

Les articles indéfinis

1 Classe les mots dans les sacs à dos.

a avatar
b photo
c amies
d messages
e pseudo
f sites Internet
g image
h amie
i animal

UN

UNE

DES

PHONÉTIQUE La liaison avec les articles indéfinis

2 🔒⑤ Indique la liaison, si nécessaire. Écoute pour vérifier.

▸ des‿adolescents

a des avatars
c un ami
e une photo
g des amies

b un jeu
d un animal
f un dessin

Le verbe *être*

3 Associe pour faire des phrases.

a Zelda

b Sur Internet, je

c Nous

d Vous

e Tu

f Tasdal et Silgrim

1 sont des pseudos.

2 êtes amis ?

3 es un garçon super !

4 est un personnage de jeu vidéo.

5 sommes Léo et Léa.

6 suis Cassandra.

Qu'est-ce que c'est ?

4 Complète avec *c'est* ou *ce sont*, comme dans l'exemple.

Qu'est-ce que c'est ?

C'est
un message
de Nathan.

a ....
un jeu vidéo.

b ....
des dessins
de Thomas.

c ....
des personnages
de manga.

d ....
un site Internet
pour les ados.

e ....
une photo
de moi.

CULTURES

Associe les noms et les pseudos de ces personnes célèbres, comme dans l'exemple.

Édith Giovanna Gassion	BLACK M
Alpha Diallo	~~STROMAE~~
~~Paul Van Haver~~	KEV ADAMS
Kevin Smadja	ÉDITH PIAF
François-Marie Arouet	VOLTAIRE

Paul Van Haver — STROMAE

a  P............ — V............

c  K............ — ....

b  É............ — ....

d  A............ — ....

Écrire

↳ **Colle la photo d'un(e) artiste célèbre de ton pays. Présente-le/la.**

(photo)

astuce

Je m'appelle Océane. → Point à la fin d'une phrase

Majuscule au début d'une phrase

Majuscule pour les noms propres

Autoévaluation

Dire et épeler son nom et son prénom

1 ... /3

Mets les mots dans l'ordre pour faire des phrases.

a c' – Titine75. – Mon – est – pseudo,

....

b Léo. – m' – Je – appelle

....

c Mon prénom, – Joëlle. – c'est

....

d est – Ludo, – c' – mon surnom.

....

e Internet. – sur – mon pseudo – C'est

....

f Roussel. – c'est – de – Mon nom – famille,

....

2 ... /4

Entoure de la bonne couleur. (accent aigu) (accent grave) (accent circonflexe) (tréma)

Théo   Benoît   Séverine   Loïc   Adèle   Éloïse   Jérôme

Entrer en contact

3 ... /5

Complète les dialogues. Puis relie les dialogues et les dessins.

a
– Bonjour monsieur Garnier.
– Bonjour Théo, __ __ __ ?
– Ça va, et __ __ __ __ ?

b
– Coucou Ninon, ça va ?
– Salut Mathis !
  Ça va, et __ __ __ ?

c
– Elles __ ' __ __ __ __ __ __ __ __
  Isabelle et Anne ?
– Non, Isa et Anna.

d
– Salut Kevin !
– __ __ __ __ __ ! À demain !

e
– Je m' __ __ __ __ __ __ __ Emma.
  Et toi, comment tu __ ' __ __ __ __ __ __ __ ?
– Moi, c'est Nathan.

Écoute et associe les trois dialogues aux bonnes photos.

dialogue 1 ●

dialogue 2 ●

● dialogue 3

Donner des informations personnelles

5 ... /5

Entoure la bonne réponse.

a Sur Internet, nous *sont – sommes – suis* Girly1 et Girly2.

b Luzmog, *es – c'est – suis* mon pseudo sur Internet.

c Mon avatar *suis – es – est* un animal.

d Virgile et Saliou, *sommes – êtes – ce sont* des copains.

e Nous *sommes – est – êtes* amis sur « Resoado ».

Vérifie tes résultats p. 77. ... /20

APPRENDRE À APPRENDRE

Choisis une méthode puis mémorise les cinq mots suivants en 30 secondes.

photo   prénom   fille   garçon   mail

Méthode **1**
▫⇨ Visualise.

Méthode **2**
▫⇨ Écoute et répète.

Méthode **3**
▫⇨ Écris.

  Pour bien mémoriser : choisis ta méthode !

LEÇON

1

Échangeons
sur nos préférences musicales

LIRE

1 Lis puis associe.

Tal •		• une chanteuse de pop.
Stromae •	• est fan •	• des chansons de Tal.
Nina •	• est •	• le style préféré de Thomas.
La pop •	• préfère •	• l'électro.
Hermione •		• le chanteur préféré d'Inès.

VOCABULAIRE

2 Les nombres de 11 à 69. **Complète les suites.**

a onze .... quinze ....

b .... quarante cinquante ....

c .... soixante-deux .... soixante-cinq

d vingt-deux trente-trois ....

PRONONCER

3 Le son [ã]. **Écoute et chante.**

Tu aimes bien chanter et danser ?
Ou bien jouer d'un instrument ?
Écoute la chanson en français,

Et puis répète rapidement !
Avec Adam, Clément, Nathan,
Chante le rap des adolescents.

Parlons de nos goûts et de nos activités

Les verbes en -*ER*

1 Associe les dessins et les infinitifs. Puis complète les phrases.

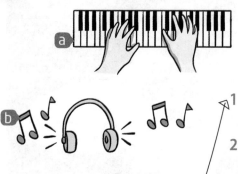

1 aimer   Il **aime** l'électro.

2 jouer   Je .... d'un instrument.

3 écouter   Tu .... de la musique.

4 regarder   Elle .... une chanteuse à la télé.

5 détester   Nous .... le rap.

6 chanter   Vous .... une chanson.

7 danser   Ils .... le rock.

Les articles définis

2 Classe les mots dans le tableau.

musique   chansons françaises   radio   électro   rap

piano   groupes de rock   instrument

Le	La	Les	L'
....	....	....	....
....	....	....	....

La négation

3 Lis les phrases affirmatives puis écris les phrases négatives, comme dans l'exemple.

- Je ne suis pas Lola, je suis Faustine.
- J'aime le rock.
- Je ....
- Je chante.
- Je déteste l'électro.
- ....

- Je suis Lola, je ne suis pas Faustine.
- Je ....
- J'écoute la radio.
- ....
- ....
- Je suis fan de rap.

Les instruments de musique

4 Remets les noms des instruments à la bonne place.

a Elle joue du ~~violon~~.
....

b Il joue de la flûte.
....

c Il joue de la guitare.
....

d Elle joue de la batterie.
....

e Elle joue du piano.
....

f Il joue du saxophone.
....

Posons des questions personnelles

Le verbe *avoir*

1 **Complète avec le verbe *avoir*.**

a Nous .... une amie chanteuse.

b Il n'........................ pas de pseudo.

c Tu .... un saxophone ?

d J'........................ un lecteur MP3.

e Vous .... un groupe préféré ?

f Marie et Lucie .... un style de musique préféré : le rap.

Demander et dire l'âge

2 **Lis puis écris l'âge des ados en lettres.**

> Dans notre groupe de copains, nous avons 61 ans au total !
> Moi, j'ai 12 ans et Léo aussi.
> L'âge de Louis = l'âge de Léo + 1 an.
> L'âge d'Alima = l'âge de Léo x 2 — l'âge de Louis.
> Et Irène, elle a quel âge ?

a Léo a ....

b Louis ....

c Alima ....

d Irène ....

Poser une question

3 Écris les questions du journaliste.

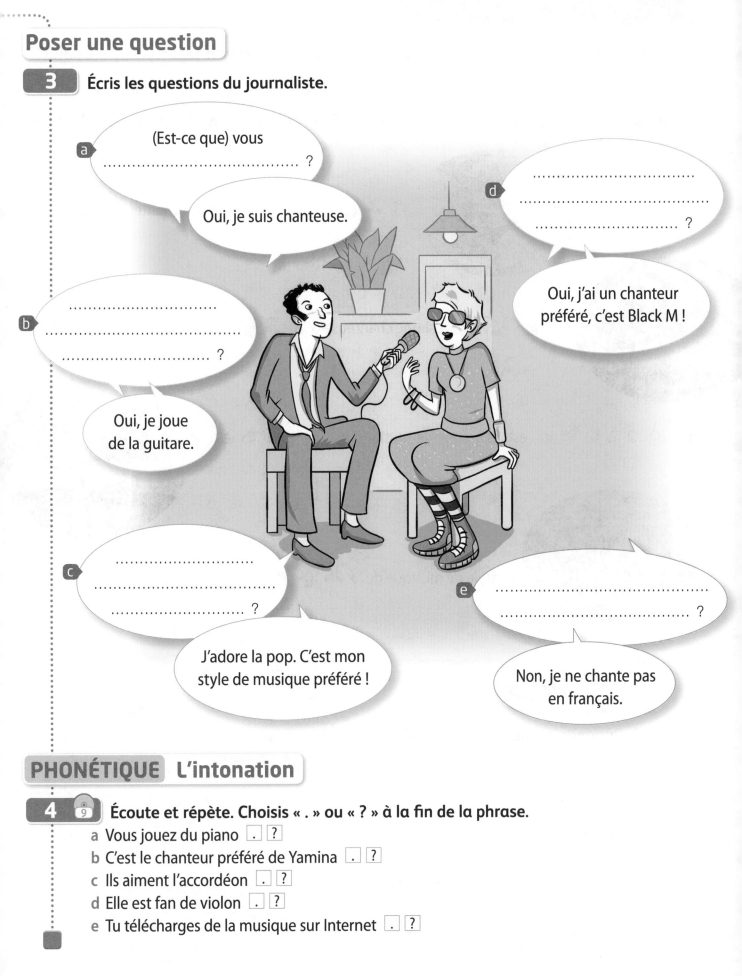

a (Est-ce que) vous
.... ?

Oui, je suis chanteuse.

b ....
....
.... ?

Oui, je joue
de la guitare.

c ....
....
.... ?

J'adore la pop. C'est mon
style de musique préféré !

d ....
....
.... ?

Oui, j'ai un chanteur
préféré, c'est Black M !

e ....
.... ?

Non, je ne chante pas
en français.

PHONÉTIQUE L'intonation

4 🔊9 Écoute et répète. Choisis « . » ou « ? » à la fin de la phrase.

a Vous jouez du piano ⬚. ⬚?
b C'est le chanteur préféré de Yamina ⬚. ⬚?
c Ils aiment l'accordéon ⬚. ⬚?
d Elle est fan de violon ⬚. ⬚?
e Tu télécharges de la musique sur Internet ⬚. ⬚?

Décode. Trouve le nom de quatre chanteurs/groupes français et leur style de musique.

A	B	C	D	E	F	G	H	I	J	K	L	M
>	>	>	>	>	>	>	>	>	>	>	>	>

N	O	P	Q	R	S	T	U	V	W	X	Y	Z
>	>	>	>	>	>	>	>	>	>	>	>	>

1 ⬚⬚⬚⬚⬚⬚⬚ est un chanteur de ⬚⬚⬚.

— — — — — — —   — — —

2 ⬚⬚⬚⬚⬚ est une chanteuse d'⬚⬚⬚⬚⬚⬚⬚⬚ et de ⬚⬚⬚.

— — — — —   — — — — — — — —   — — —

3 ⬚⬚⬚⬚⬚⬚⬚ est un groupe de musique ⬚⬚⬚⬚⬚⬚.

— — — — — — —   — — — — — —

4 Le style de musique de ⬚⬚⬚⬚⬚⬚ ? La ⬚⬚⬚ !

— — — — — —   — — —

Écrire

↳ **Réponds au message de Camille.**

✉ Camille

Coucou, tu as des idées de chansons à télécharger dans mon MP3 ?

....
....
....
....
....
....
....
....

Astuce

J'écoute (du rap).

une phrase = sujet + verbe (+ complément)

Autoévaluation

Échanger sur ses préférences musicales

1 ... /5

Complète avec les mots suivants.

| préférée | préfère | groupe | chanteuse | fan |

a Je .... la pop, et toi ?

b Julia est .... de musique !

c Tu as une chanson .... ?

d Alex joue de la guitare dans un ....

e C'est une .... de rap ?

2 ... /3

Lis puis relie les nombres correspondants.

a Dans notre classe, nous sommes trente-trois.

b Trente-deux élèves sont fans de musique.

c Dix-huit élèves jouent d'un instrument.

d Vingt et un élèves sont fans de pop.

e Onze élèves préfèrent le rap.

f Stromae est le chanteur préféré de seize élèves.

g Vingt élèves n'ont pas de chanteuse préférée.

Parler de ses goûts et de ses activités

3 ... /5

Choisis un symbole puis fais des phrases pour parler de tes goûts.

le rap ♡♡ ♡ ⊘ ⊘⊘ ▸ Je n'aime pas le rap.

a le rap ♡♡ ♡ ⊘ ⊘⊘

....

b le saxophone ♡♡ ♡ ⊘ ⊘⊘

....

c le rock ♡♡ ♡ ⊘ ⊘⊘

....

d l'accordéon ♡♡ ♡ ⊘ ⊘⊘

....

e les chansons en français ♡♡ ♡ ⊘ ⊘⊘

....

4 🔒 **10**   ... /3

Écoute et corrige les phrases, comme dans l'exemple.

▸ Thomas écoute des chansons.

> Thomas n'écoute pas des chansons, il regarde des clips sur Internet.

a Laurie joue dans un groupe.

> ....

b Marie et Lina chantent et dansent.

> ....

c Benjamin, Simon et Loïc regardent des clips sur Internet.

> ....

Poser des questions personnelles

5   ... /4

Associe les questions et les réponses.

a ⟨ Tu as un chanteur préféré ? ⟩   **1** ⟨ Non, j'ai un téléphone portable. ⟩

b ⟨ Tu aimes la chanteuse Shy'm ? ⟩   **2** ⟨ Oui, c'est Black M. ⟩

c ⟨ Est-ce que tu écoutes du rap ? ⟩   **3** ⟨ Oui, mais je préfère Tal. ⟩

d ⟨ Est-ce que tu as un lecteur MP3 ? ⟩ **4** ⟨ Non, j'écoute de l'électro. ⟩

Vérifie tes résultats p. 77. _____   ... /20

APPRENDRE À APPRENDRE

Observe la carte mentale et complète.

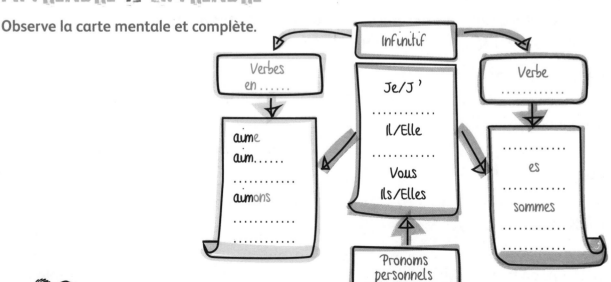

 Pour apprendre les conjugaisons : crée une carte mentale !

LEÇON 1

Échangeons sur nos différences

ÉCOUTER

1 (11) **Écoute Saïd et Meryem. Entoure la ou les bonne(s) réponse(s).**

a Sur la photo, il y a :
1 Marco.
2 le frère de Marco.
3 la sœur de Marco.
4 le père de Marco.
5 la mère de Marco.

b La famille de Marco parle :
1 une langue.
2 deux langues.
3 trois langues.

c À la maison, ils parlent :
1 anglais.
2 italien.
3 français.

d À l'école, ils parlent :
1 anglais.
2 italien.
3 français.

VOCABULAIRE

2 Les langues du monde. **Complète avec la langue correspondant à chaque drapeau. Puis trouve une autre langue avec les 6 lettres en jaune.**

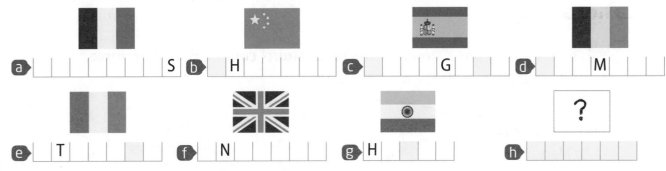

a ⬦ | | | | | | S | | | |
b ⬦ | H | | | | | | | |
c ⬦ | | | | | G | | | | |
d ⬦ | | | | | M | | | |

e ⬦ | T | | | | | |
f ⬦ | N | | | | | |
g ⬦ H | | | | | |
h ⬦ | | | | | | |

3 La famille (1). **Observe puis complète l'arbre généalogique.**

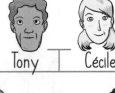

.... le père .... Tony ─┬─ Cécile ....

.... Célestin   Tania ....

PRONONCER

4 (12) Le son [ɛ̃]. **Écoute et récite.**

Les copains de Martin
Ne parlent pas mandarin.
Les copains de Damien
Ne parlent pas coréen.

Les copains de Fabien
Ne parlent pas italien.
Les copains de Quentin
Ne parlent pas roumain.

Mais Julien est trilingue
Mandarin, coréen
Et aussi italien.

Présentons notre famille

Les adjectifs possessifs

1 **Complète avec un adjectif possessif, comme dans l'exemple.**

▸ Comment s'appelle ta sœur ? (tu)

a .... mère est grande. (elles)

b C'est .... amie Élodie. (je)

c .... grands-parents habitent à La Martinique. (nous)

d Quel âge a .... tante ? (il)

e .... parents adorent danser. (ils)

f .... deux frères sont très drôles. (elle)

g .... père est petit. (vous)

La négation

2 **Elles ne sont pas d'accord. Écris le contraire, comme dans l'exemple.**

▸ Il a une sœur. > Non, il n'a pas de sœur.

Louise a un oncle à La Martinique.

Non, ...
....
....

Elles ont des copains français.

Non, ...
....
....

Nous avons un album de famille.

Non, ...
....
....

Théo a des tantes.

Non, ...
....
....

L'accord des adjectifs

3 (13) Écoute et complète avec les adjectifs.

J'ai deux sœurs et deux frères.

Ma .... sœur s'appelle Annie et ma ....

sœur s'appelle Éloïse. Elles sont .... et ....

Mes .... frères s'appellent Rémi et Damien. Ils sont

.... mais très .... Mes frères

et mes sœurs sont .... pour moi.

4 (14) Écoute. Dis si tu entends le masculin, le féminin ou les deux.

	Masculin	Féminin	Les deux
a			
b			
c			
d			
e			
f			
g			

La famille (2)

5 Trouve de qui on parle.

▸ Le père de ma mère, c'est mon **grand-père**.

a La sœur de mon père, c'est ma ....

b Le fils de mon oncle, c'est mon ....

c Les parents de mes parents, ce sont mes ....

d La mère de mon père, c'est ma ....

e La fille de ma tante, c'est ma ....

f Le frère de ma mère, c'est mon ....

Parlons de notre nationalité

Les nationalités

1 Écris leur nationalité.

Je suis mexicain.

a Je suis e....................

b Nous sommes j....................

c Nous sommes a....................

d Je suis g....................

e Je suis t....................

f Nous sommes i....................

g Nous sommes r....................

Les couleurs

2 🔒15 Écoute. Écris sous le drapeau le numéro correspondant.

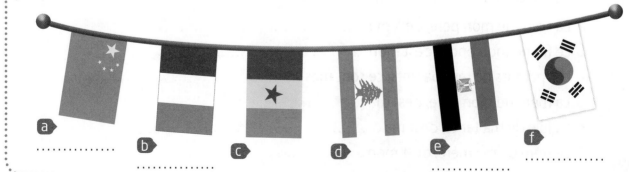

a .... **b** .... **c** .... **d** .... **e** .... **f** ....

PHONÉTIQUE Le masculin et le féminin des adjectifs de nationalité

3 🔒16 Écoute et coche.

	Prononciation identique =	Prononciation différente ≠
a		✔
b		
c		
d		
e		
f		
g		

Les pronoms toniques

4 **Transforme avec un pronom tonique, comme dans l'exemple.**

▸ Je parle anglais avec <u>Manon</u>. > Je parle anglais avec elle.

a La vie est très différente pour <u>mon correspondant</u>.

> ....

b Pour <u>ma sœur et moi</u>, c'est nouveau.

> ....

c Nous parlons de <u>nos frères et sœurs</u>.

> ....

d Elle n'habite pas avec <u>ses sœurs</u>.

> ....

e Avec <u>Marine et toi</u>, je parle français.

> ....

Le pronom *on*

5 **Associe.**

a avons deux oncles et trois tantes.

b parle deux langues à la maison.

Nous •

c sommes à La Martinique.

On •

d écoutons nos parents.

e habite avec nos grands-parents.

f chantons pour notre famille.

CULTURES

Observe et corrige les erreurs sur l'origine des mots.

a « Pizza » est un mot d'origine chinoise ....

b « Judo » est un mot d'origine italienne ....

c « Kung-fu » est un mot d'origine espagnole ....

d « Flamenco » est un mot d'origine anglaise ....

e « Sandwich » est un mot d'origine japonaise ....

Écrire

↳ **Participe au blog.**

www.blogado.com

BLOGADO   ACTUS   BONNES IDÉES   PERSO

Blogado prépare une enquête sur les ados et la famille. Écris un message pour parler de toi, de ta famille, de tes origines.

Pseudo : _____

....

....

....

.... **Envoyer**

astuce

Mes parents **sont** espagnols, **d'origine** mexicaine.

→ Le nom ou groupe du nom et l'adjectif s'accordent au féminin et au pluriel.

Autoévaluation

Échanger sur ses différences

1 ... /4

Trouve quelles langues ils parlent.

a Aram parle | ç | r | a | f | a | i | s | n | et | n | i | d | i | h |. > ....

b À la maison, nous parlons | e | o | r | c | n | é |. > ....

c Je parle | t | n | a | l | i | e | i | et | o | a | r | i | n | u | m |. > ....

d Ahmed est bilingue | r | a | b | a | e | - | n | a | l | a | g | i | s |. > ....

2 ... /4

Complète avec les mots suivants.

| famille | parlent | arabe | mère | père | trilingues | école | enfants |

Voici la .... Salih. Les

..........................., Rose, Léo et Juliette, sont

.... : ils ....

français avec Laura, la .... ,

.... avec le .... ,

Abdou, et anglais à l' ....

Présenter sa famille

3 ... /4

Complète la description de la famille de Justin.

Je m'appelle Justin et voici ma famille.
Mes parents s'appellent Stéphane et Noémie.
..........................., c'est Tom et,
..........................., c'est Sarah.
.... s'appellent Roger et Elena.
.... s'appelle Philippe
et .... s'appelle Alice.
Leur .... s'appelle Lily,
c'est .... Mais je n'ai
pas de ....

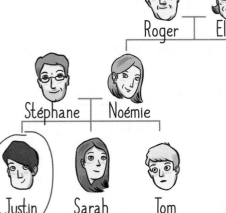

Parler de sa nationalité

4 ... /5

Complète, comme dans l'exemple.

▶ Nous, nous sommes brésiliens et notre drapeau  est vert, jaune et bleu.

a .... , elle est alleman....... et son drapeau est ....

b .... , je suis japon....... et mon drapeau est ....

c .... , ils sont ivoir....... et leur drapeau est ....

d .... , tu es mexic....... et ton drapeau est ....

e .... , elles sont chin....... et leur drapeau est ....

5 ... /3

Lis le mail de Justin. Qu'est-ce qui est (différent) / n'est (pas différent) entre lui et son nouveau copain ? Entoure de deux couleurs.

> De : Justin
> À : Tom
> Objet : Nouveau copain
>
> Salut Tom !
> J'ai un nouveau copain, il est super ! On est tous les deux d'origine espagnole, mais lui, il parle espagnol avec sa famille, pas moi ! Lui et moi, on aime la musique et on joue de la guitare ensemble dans notre école de musique. Mais lui, il est fan de rock. Moi, je préfère l'électro. Il a 14 ans et, moi, j'ai 12 ans, mais ce n'est pas important !
> Justin

Vérifie tes résultats p. 77. ... /20

APPRENDRE À APPRENDRE

Lis avec attention. Quelle phrase est différente ?

Ce sont des amis français.

Ce sont des amis français.   Ce sont des amis français.   Ce sont des amis français.

Ce sont des amies françaises.   Ce sont des amis français.   Ce sont des amis français.

Ce sont des amis français.   Ce sont des amis français.   Ce sont des amis français.

Pour bien utiliser la grammaire : sois très attentif !

LEÇON 1

Parlons de sport

ÉCOUTER

1 🔒17 **Écoute et coche. Justifie tes réponses.**

a Étienne fait des exercices pour muscler son corps. ☐ vrai ☐ faux

....

b Étienne muscle ses bras, ses jambes, son cœur et son ventre. ☐ vrai ☐ faux

....

c L'amie d'Étienne parle de tennis, de natation et de rugby. ☐ vrai ☐ faux

....

d Étienne n'aime pas les autres sports. ☐ vrai ☐ faux

....

VOCABULAIRE

2 **Les sports et le corps. Entoure dans la grille cinq noms de sports et cinq parties du corps.**

R	U	G	B	Y	T	U	O	P	E
C	Y	P	F	U	I	B	R	A	S
O	F	I	L	A	M	E	F	B	C
E	T	E	N	N	I	S	O	A	R
Y	Ê	D	G	T	I	O	T	S	I
T	T	G	O	L	R	T	B	K	M
E	E	U	J	A	M	B	E	E	E
N	A	T	A	T	I	O	N	T	B
V	O	L	U	T	A	D	O	S	E

PRONONCER

3 🔒18 **Le son [R]. Écoute et récite.**

Vous adorez le sport,
C'est très bon pour le corps !
Rugby le mercredi,
Escrime le vendredi,
Le mardi, c'est tennis,
Pour faire de l'exercice.

Trottinette ou roller,
C'est très bon pour le cœur !
Marcher, sauter, porter,
Parfait pour se muscler !
Vous adorez le sport,
C'est très bon pour le corps !

Échangeons sur nos activités sportives

Le verbe *faire*

1 Complète la grille avec les formes correctes du verbe *faire*.

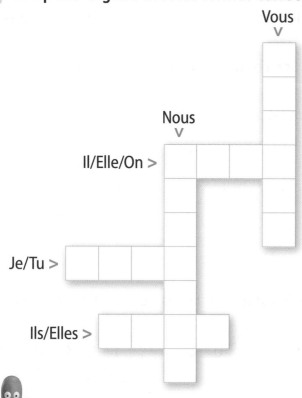

Faire et *jouer* + article

2 Complète avec l'article correct.

Julia, Anouk et Elsa

Mes copines et moi, on adore le sport ! Ensemble, on fait du tennis le mercredi et on joue .... football le samedi, avec nos pères. Julia fait aussi .... natation et .... judo, Anouk fait .... équitation et .... danse. Moi, je fais .... escrime et je joue .... pétanque avec ma famille le dimanche !

Exprimer la fréquence

3 Trouve une autre manière d'exprimer la fréquence.

▸ Le samedi, je fais du rugby dans un club.

> Moi aussi, <u>tous les samedis</u>, je fais du rugby dans un club.

Je joue au foot tous les vendredis.

a > Moi aussi,

....
....
....

Paul et Martin jouent au rugby tous les mercredis.

d > Laurie et Albane aussi,

....
....
....

À l'école, nous faisons du sport le jeudi.

Tu fais de l'exercice le week-end ?

b > Nous aussi,

....
....
....

c > Oui. Et toi,

....
....
.... ?

Poser des questions

4 Complète avec *est-ce que* ou *qu'est-ce que*. Puis réponds aux questions.

a .... tu fais le mercredi ?

> ....

b .... tu aimes le tennis ?

> ....

c .... tu préfères comme sport ?

> ....

d .... tu fais de l'équitation ?

> ....

e .... le sport est important pour toi ?

> ....

f .... tu fais comme sport à l'école ?

> ....

Décrivons des personnes

Décrire physiquement

1 **Complète avec le verbe *être* ou le verbe *avoir*.**

a Lise .... les cheveux courts, elle .... blonde.

b Charles .... roux.

c Anita .... les cheveux bruns et frisés.

d Lucien .... les yeux bleus et il .... châtain.

e Inès .... brune. Elle .... les cheveux longs.

f Hugo .... les yeux marron et les cheveux très courts.

2 **À partir de l'exercice 1, retrouve les prénoms des adolescents ci-dessous.**

C'est ou Il est/Elle est

3 Relie pour former des phrases correctes.

- **1** petit et musclé.
- **2** grande et mince.

- **a** C'est
- **b** Il est
- **c** Elle est

- **3** une championne de tennis.
- **4** français, d'origine marocaine.
- **5** un joueur de rugby.
- **6** française.

4 Alexandre Lacazette et Pénélope Leprevost sont deux sportifs français. Décris-les comme dans l'exercice 3.

Alexandre Lacazette   football

a C'est ....
....
....
....
....

Pénélope Leprevost   équitation

b C'est ....
....
....
....
....

CULTURES

Lis les devinettes. C'est quel sport de rue ? Associe à la photo correspondante.

a
Pour ce sport, on utilise un vélo avec seulement une roue.
> ....
> Photo ....

b
On porte l'équipement sur les jambes : c'est facile de sauter ou de marcher rapidement !
> ....
> Photo ....

c
C'est une danse d'origine brésilienne. On utilise beaucou[p] les pieds, les mains et la tête.
> ....
> Photo ....

d
C'est un sport d'équipe : deux joueurs tournent deux cordes et les autres joueurs sautent !
> ....
> Photo ....

1 la capoeira

2 le double dutch

3 les échasses urbaines

4 le monocycle

Écrire

↳ **Écris un mail à un(e) ami(e) sportif/ve. Demande des idées de sports à pratiquer.**

De : Moi
À : Toi
Objet : Sport

Salut,
Je n'aime pas le sport, mais c'est important pour le corps. Est-ce que ....
....
....
....

astuce

apostrophe devant une voyelle
↓   ↘
Qu'est-ce qu'ils font comme sport ?
        ↑
    trait d'union

Autoévaluation

Parler de sport

1 ... /4

Décode les mots en bleu. Puis mets dans l'ordre pour former les réponses.

c'est / mbejas. / Le / jduo, / pour / les / eelxcnlet / les / rabs / et

Votre sport préféré, c'est… ?

sutear ! / Le / j'adore / bkaets :

mon / pour / rscpo ! / La / bien / nseda : / dans / être

a

....
....
....
....
....

b ....
....

c ....
....
....

Échanger sur ses activités sportives

2 19 ... /6

Écoute et complète l'agenda de Mathieu.

LUNDI
8
9 sport
10 à l'école
11
12
1
2
3
4
5

JEUDI
8 1
9 2
10 3
11 4
12 5

MARDI
8 1
9 2
10 3
11 4
12 5

VENDREDI
8 1
9 2
10 3
11 4
12 5

MERCREDI
8 1
9 2
10 3
11 4
12 5

SAMEDI   DIMANCHE

3 ... /4

Reconstitue deux questions et deux réponses.

| préfère | comme | fais | sport | qu'elle | le | football | samedi | Qu'est-ce | du |

| préfère | Non, | fais | rugby. | je | natation. |

a – Est-ce que tu .... ?

– .... du ....

b – .... ?

– Elle .... la ....

Décrire des personnes

4 ... /6

Lis et complète la carte. Puis présente l'adolescente par écrit.

Sports collectifs de Marseille

Nom : Jouly
Prénom : Mathilde
Sport : football
Âge : 12 ans
Taille : 1 m 40
Yeux : ....
Cheveux : ....

C'est ....
....
....
....
....
....

Vérifie tes résultats p. 78. ... /20

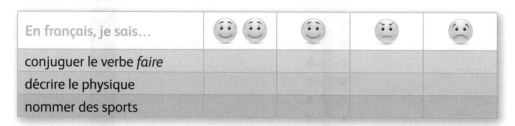

APPRENDRE À APPRENDRE

Lis et coche.

En français, je sais...	☺☺	☺	😐	☹
conjuguer le verbe *faire*				
décrire le physique				
nommer des sports				

Pour t'améliorer : apprends à t'autoévaluer !

LEÇON 1

Parlons de la vie au collège

ÉCOUTER

1 (20) **Écoute puis complète les dates.**

Vacances de Léa

La Toussaint : du .... au ....

Noël : ....

....

....

La fin des cours : ....

VOCABULAIRE

2 Les mois et les saisons.
Complète la grille avec les mois et les saisons. Puis trouve la saison qui manque.

Quelle saison n'est pas dans la grille ? C'est ....*hiver*..........

Grille (mots croisés) :
- 2 ET
- 4 MARS
- 7 PRINTEMPS
- 9 AVRIL
- 11 AUTOMNE
- 14 JUILLET
- 15 NOVEMBRE
- 1 décembre
- 3 JANVIER
- 5 OCTOBRE
- 8 SEPTEMBRE
- 6 FÉVRIER
- 10 AOU...
- 13 JUIN

3 Le collège. **Barre l'intrus.**

a un cours – une cour de récréation – une salle de classe

b le collégien – le professeur – l'élève

c les vacances – la cantine – la salle de classe

d la bibliothèque – la collégienne – le gymnase

PRONONCER

4 (21) **Les sons [b] et [v]. Écoute et récite.**

La belle Éva
va en vacances

La belle Éva
va à Paris

Beaubourg en janvier
avec Xavier !

Belleville en avril
avec Nabil !

Parlons de notre emploi du temps

Demander et dire l'heure

1 Regarde les deux petites histoires et complète les bulles.

Pardon monsieur, *quelle heure est-il* ?

...le temps est de dix heures moins trente (9:30 am),

On a cours de français *à quelle heure* ?

LUNDI
8h15 - 9h15
→ FRANÇAIS

les cours de francis sont à huit heure et quart.

2 Écoute et indique l'heure. Dessine les aiguilles.

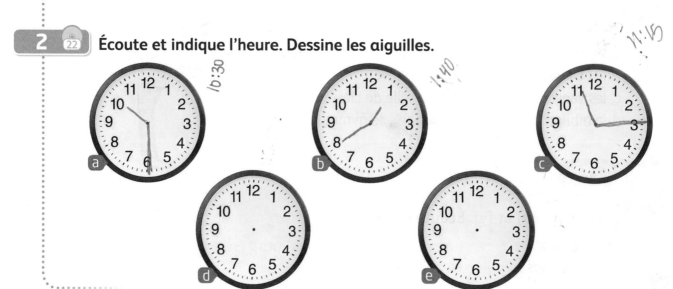

Situer dans le temps

3 **Entoure la bonne réponse.**

a En général, j'adore faire du sport au collège *ce matin* / *le matin*.

b Le prof de français n'est pas là aujourd'hui. C'est cool ! Je n'ai pas cours
cet après-midi / *l'après-midi*.

c Je mange à la cantine *le midi* / *ce midi* : du lundi au vendredi !

d Demain, c'est les vacances ! Super ! *Ce soir* / *Le soir*, je n'ai pas de devoirs.

e J'adore faire du sport *cet après-midi* / *l'après-midi*.

f Mon moment préféré de la journée est *ce soir* / *le soir*.

Demander et donner une explication

4 **Associe les questions et les réponses.**

a Pourquoi tu aimes ce cours ?

1 Parce que je mange avec les copains.

b Pourquoi vous n'avez pas SVT ?

2 Parce que c'est la récréation.

c Pourquoi tu aimes la cantine ?

3 Parce que le professeur n'est pas là.

d Pourquoi vous n'êtes pas en classe ?

4 Parce que j'ai beaucoup d'amis !

e Pourquoi tu aimes le collège ?

5 Parce que j'adore le prof !

Fixons un rendez-vous

Le verbe *aller*

1 Remets les formes verbales dans l'ordre et complète.

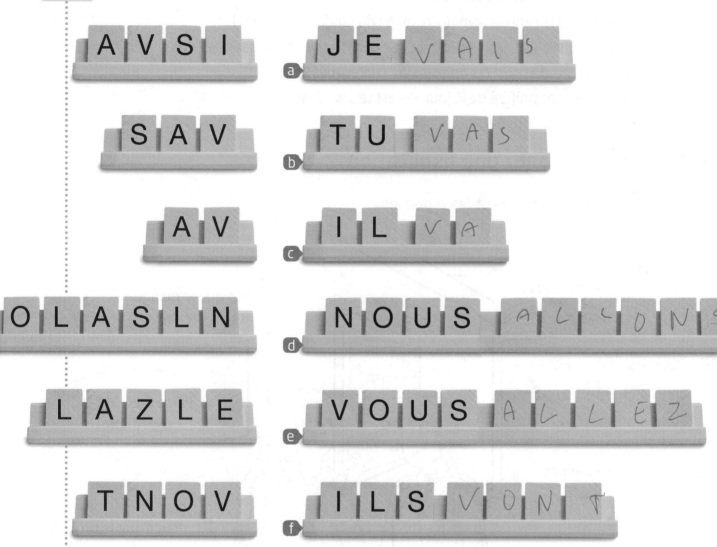

A V S I

a ▸ JE V A I S

S A V

b ▸ TU V A S

A V

c ▸ IL V A

O L A S L N

d ▸ NOUS A L L O N S

L A Z L E

e ▸ VOUS A L L E Z

T N O V

f ▸ ILS V O N T

2 Complète avec une forme verbale de l'exercice **1** et *au / à la / à l'*.

a Je ....vais.......... ...au...... collège à 8 heures.

b Tu ....va.......... ..à la.......... cantine ce midi ?

c Nous n'..allon.......... pas ....au...... gymnase aujourd'hui ?

d On ...va.......... ...à la........ bibliothèque pour faire nos devoirs ?

e Pauline ne ..va.......... pas ....à l'.école ce matin ?

Fixer un rendez-vous

3 Reconstitue deux dialogues avec les éléments suivants.

a ▶ Ok... à lundi alors !

b ▶ Tu vas à la fête de Thomas samedi ?

c ▶ Moi aussi. ;) Rendez-vous à 18 heures ?

d ▶ Tu es libre cet après-midi ? On va à la biblio-thèque avec Julien.

e ▶ Non, ce n'est pas possible. J'ai mon cours de tennis.

f ▶ D'accord. À samedi.

g ▶ Oui, et toi ?

h ▶ À lundi !

Dialogue 1
b
.....g......
c
.....f.......

Dialogue 2
.....d......
....e.....
....g......
h

be
be
bf
ce
g
h g ce

Les questions avec *où* et *quand*

4 Trouve une autre manière de poser les questions.

a Quand est-ce que tu fais du sport ?
> Tu ..fais du sport., quand?.................................. ?

b Tu vas où ?
> Où ..joues–tu?.. ?

c Où est-ce que c'est ?
> ..où est-il ~~est-ce~~ c'est oui?............................... ?

d On s'inscrit quand ?
> ~~quand s'inscrit quant on?~~ .... quand est-ce qu'on s'inscrit?

quand est-ce que = ...quand?
ou est-ce que = où?

PHONÉTIQUE Les liaisons avec *d, f* et *x*

5 🎧23 Écoute les liaisons et coche.

	[t]	[z]	[v]
a Quand‿est-ce qu'il va à l'école ?			
b Il est neuf‿heures.			
c On a SVT le mercredi à six‿heures.			
d Louise a dix‿ans aujourd'hui.			

[t]
[z]
[v]

CULTURES

Associe une date, une fête et ce qu'on mange en France.

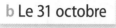
HALLOWEEN

a Le premier dimanche de janvier

La bûche

Les crêpes

b Le 31 octobre

Mardi gras

Les œufs en chocolat

Pâques

c Le 25 décembre

e 47 jours avant Pâques

Les bonbons

d Entre le 22 mars et le 25 avril

L'Épiphanie

La galette
des Rois

Noël

Écrire

Tu prépares un sondage pour le journal de ton collège.
Imagine le questionnaire à poser aux collégiens sur la vie au collège.

Participez au sondage sur la vie au collège !
Répondez aux questions.

Question 1 :

Question 2 :

Question 3 :

Question 4 :

astuce

Il a cours à la bibliothèque.

verbe avoir = pas d'accent   préposition = accent grave

Autoévaluation

Parler de son emploi du temps

1 (24) .../5

Écoute et complète l'emploi du temps d'aujourd'hui. Puis réponds aux questions.

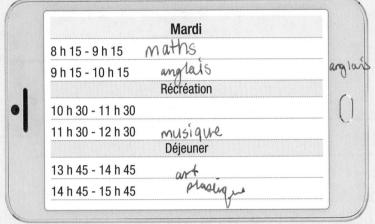

Mardi	
8 h 15 - 9 h 15	maths
9 h 15 - 10 h 15	anglais
Récréation	
10 h 30 - 11 h 30	
11 h 30 - 12 h 30	musique
Déjeuner	
13 h 45 - 14 h 45	art plastique
14 h 45 - 15 h 45	

anglais

a Pourquoi est-ce que Mathis aime aller en cours d'anglais ? *it's cool*
Parce qu'il pense que sa prof est cool
....

b Est-ce qu'il y a cours de français aujourd'hui ? Pourquoi ?
Non, le professeur ne pas la.
....

Parler de la vie au collège

3,4,5

2 .../5

Complète avec les mots suivants.

du   printemps   au   été   décembre   mars   automné   hiver

a En France, on est en *hiver* du 21 décembre *au* 20 *mars*.

b *du* 21 mars au 20 juin, on est *en printemps*.

c L' *été*, c'est *du* 21 juin au 20 septembre.

d Et l' *automne*, c'est du 21 septembre au 20 *décembre*.

3 .../2

Regarde les photos et dis où ils sont au collège.

a Elle est *à la* *bibliothèque*

b Il est *à la* *cantine*

c Ils sont *au* *gymnase*

d Ils sont *à la* *salle de class*

41

Fixer un rendez-vous

Reconstitue les questions.

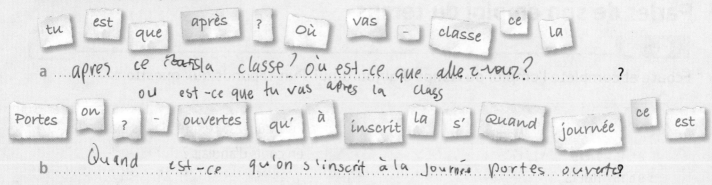

tu | est | que | après | ? | Où | vas | - | classe | ce | la

a ....*apres ce [est]la classe ? où est-ce que allez-vous?*................. ?

ou est-ce que tu vas après la class

Portes | on | ? | - | ouvertes | qu' | à | inscrit | la | s' | Quand | journée | ce | est

b ....*Quand est-ce qu'on s'inscrit à la journée portes ouverte?*

Complète librement.

a *possible*

Ce n' *est...pas....d'importance*................................. .

Je ne *.veux.pas.venir..parce.que. je ne suis pas libre le*
.....samedi

J'ai beaucoup de devoirs pour la classe.

On va au club photo ensemble samedi matin ?

b

Bonne idée !
À samedi !

Tu es ....*êtes libre le*.... samedi après-midi ?
On va à la fête du Printemps avec Nina.
Rendez-vous.......... au collège à 15 heures.

Vérifie tes résultats p. 78. _____ ... /20

APPRENDRE À APPRENDRE

25 **Écoute et choisis une méthode pour prononcer les sons [b] et [v].**

1 Babababababababa ; vavavavavavava ; bibibibibibibi ; vivivivivivivi ; bubububububu ; vuvuvuvuvuvuvu.

2 Bien. Va bien. Barbara va bien. Barbara va vraiment bien. La vie de Barbara va vraiment bien.

3 Vous avez le beau livre bleu de Bastien ? Vous avez le beau livre bleu de Bastien ? Vous avez le beau livre bleu de Bastien ?

Pour bien prononcer de nouveaux sons : choisis ta méthode !

LEÇON

1 Parlons de la mode

LIRE

1 **Lis. Associe chaque message à un dessin.**

blogmode-ado.fr

La mode, c'est important pour toi ?

Nina : Pour moi, c'est super important. Au collège, on porte tous les mêmes vêtements et, moi, je préfère être comme tout le monde.　　C

Arthur : Moi, j'achète des vêtements parce qu'ils sont d beaux, pas parce qu'ils sont à la mode.

Valentin : Moi, je suis fan de mode ! Et je préfère les vêtements de marque !　　b

Lolli : Tout le monde porte le même jean, le même tee-shirt, les mêmes chaussures, c'est ça, la mode ! Moi, je n'aime pas être comme tout le monde !　　a

VOCABULAIRE

2 (26) **Les vêtements. Écoute et choisis les vêtements pour Lola et Jules. Relie.**

le basket
la robe
le chemise
le tee-shirt
la botte un peu
Jules
le pantalon
un blouson
Lola
Jules

Lola: e, b, g
Jules: f, h, a, d

3 **Les nombres de 70 à 100. Calcule puis écris le résultat en lettres.**

a 34 + 50 + 2 = quatre-vingt-six

b 22 + 35 + 14 = soixante et onze

c 68 + 21 + 4 = quatre-vingt-treize

d 31 + 17 + 32 = quatre-vingts

e 52 + 15 + 11 = soixante-dix-huit

f 47 + 35 + 18 = cent

plus + égal →=

21 + 36 + 39 = 96
10 + 56 + 12 = 78

PRONONCER

4 (27) **Les sons [y] et [u]. Écoute et récite.**

Nous avons tous
Les mêmes goûts !
Nous trouvons cool

Le jean de Jules
Le blouson court
Du père d'Arthur
La jupe d'Ursule

Son nouveau pull
Ses lunettes rouges
Et ses chaussures

Nous avons tous
Les mêmes goûts !

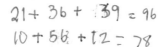

LEÇON 2 — Parlons de nos achats

Les adjectifs démonstratifs

1 Complète avec des adjectifs démonstratifs.

2 Associe.

Ce •
Cet •

ce bracelet   cet adolescent   ce sac

ce chapeau   ce bonnet   cet accessoire

Demander et dire le prix

3 Mets les mots dans l'ordre pour reconstituer le dialogue.
Ajoute la ponctuation et les majuscules.

| cette | coûte | combien | écharpe |

| coûte | elle | 12 € |

| chère | n' | elle | pas | est |

– Combien coûte cette écharpe.
– Elle côute 12£.
– Elle n'est pas cher.

Le verbe *pouvoir*

4 Transforme les phrases avec le verbe *pouvoir*, comme dans l'exemple.

▸ Nous achetons nos vêtements sur Internet.

> Nous <u>pouvons acheter</u> nos vêtements sur Internet.

a Vous ne portez pas ce jean à l'école.
Vous ne pourez pas portez ce jean à l'école.

b Tu parles de mode avec ta mère ?
Tu peux parles de mode avec tu mère

c Elle achète sur Internet avec une carte bleue.
Elle peut achòte sur internet avec une carte bleve.

d Je ne porte pas de baskets.
Je ne peu pas porte de baskets

e Ils n'ont pas de vêtements chers.
Ils ne peuvent pas de vêtements cher.

PHONÉTIQUE La prononciation du verbe *pouvoir*

5 Classe les formes du verbe *pouvoir* (exercice 4) dans le tableau.

[ø] comme dans *deux*	[œ] comme dans *leur*
....	....
....	....
....	....

Décrivons notre style

Les articles indéfinis et les articles définis

1 **Transforme, comme dans l'exemple.**

▸ L'écharpe de Laura est rouge. > C'est <u>une</u> écharpe rouge.

a La casquette de Rachid est originale.
C'est une casquette ~~rouge~~ originale

b Les chaussures de Robinson sont à la mode.
C'est des chaussures ~~sont~~ à la mode

c Les lunettes de Gabriel sont bleues.
C'~~es~~sont des lunettes bleues

d La montre d'Alice est chère.
C'~~sont~~une montre chère

e Le bracelet de Soizic est blanc et noir.
C'est ~~b~~ un bracelet blanc et noir

2 **Complète avec un article défini ou indéfini.**

Martin porte ...*une*... casquette très cool !

Oui, c'est ...*la*... casquette de son frère.

a

Je n'aime pas ...*les*... chaussures de Zoé !

b

Moi, j'adore ! Ce sont ...*des*... chaussures originales !

Regarde ...*le*... tee-shirt de Lina ! Il est super !

Oui, c'est ...*un*... tee-shirt de la marque Hollistra.

c

...*Les*... vêtements et ...*les*... l'accessoires de ce site Internet ne sont pas chers.

Oui et il y a ...*des*... vêtements très sympas et ...*de*... d' accessoires originaux.

d

le la les l'
m→ F→ P→ vowel

un une des
M→ F→ P→

La question avec *quel(le)(s)*

3 Associe pour former le maximum de questions.

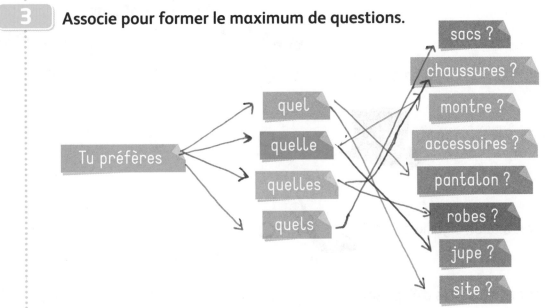

Tu préfères
- quel
- quelle
- quelles
- quels

- sacs ?
- chaussures ?
- montre ?
- accessoires ?
- pantalon ?
- robes ?
- jupe ?
- site ?

quels = masculin singulier

quelle = femine sugulbar
quels = masculin pluriel
feminin = femine pluriel

Donner une appréciation

4 Reconstitue les mots pour lire les dialogues.

Il n' ste spa ebua !
…Il n'est pas beau…

eC anpnalto set à al dmoe !
…Ce pantalon est à la mode…

Il ets arnigoil !
…Il est original…

uOi, c' ets einb !
…Oui, c'est bien…

nUe puej cvae eds skaebts, c' ste omceh !
…Une jupe avec des……c'est…………

onN, c' set samyp !
…Non, c'est sympa !…

CULTURES

Observe et coche. Fais des recherches, si nécessaire.

	Pour les filles	Pour les garçons	Pour les deux
a Le bonnet phrygien en 1790.	○	○	○
b Le chapeau haut-de-forme en 1810.	○	○	○
c Les chaussures à talon aiguille en 1950.	○	○	○
d En 1970, le pantalon à pattes d'éléphant.	○	○	○

Écrire

↳ **Réponds aux questions du courrier des lecteurs de *Mod'ado*.**

Courrier des lecteurs

LES QUESTIONS DU JOUR

Pourquoi tu achètes notre magazine ?

Qu'est-ce que tu aimes dans notre magazine ?

Bonjour Mod'ado !

....
....
....
....
....

Astuce

e accent grave : devant une syllabe avec un *e* muet   *e* accent aigu = en fin de syllabe

J'achète ce magazine parce que c'est mon préféré.

e muet

Autoévaluation

Parler de la mode

1 28 ..../7

Écoute et complète.

a Bastien et Antonin ont ...le même............ tee-shirt.

b ....99....... % des vêtements de Bastien sont des vêtements de marque.

99 c .....40....... % ou .....30...... % des vêtements d'Antonin sont des vêtements de marque.

d Bastien aime .... mais pas .... d'Antonin.

e ...5/50%... % des chaussures de Bastien sont des chaussures de marque.

pull

p

Parler de ses achats

2 ..../6

Reconstitue le dialogue : mets les mots puis les phrases dans le bon ordre.
Ajoute la ponctuation et les majuscules.

a
> sur tu Internet acheter toi peux
> ...Tu... peux acheter sur internet, toi?
> **5**

b
> *bleue*
> bleue mais parents non peuvent mes leur carte avec
> Non mais mes parents peuvent avec leur avec leur *carte bleue*
> **6**

c
> 15 € coûte il
> ....il... coûte 15€...............
> **3**

d
> combien oui coûte il
> ...Oui, combien il coûte...................
> **2**

e
> cher est ce pas n'
> ....cer n'est pas cher...........
> **4**

f
> chapeau il beau ce est regarde
> ...Regard! ce chapeau il est beau....
> **1**

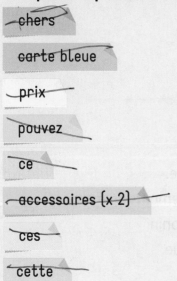

3

Complète la publicité avec les mots de la liste.

- ~~chers~~
- ~~carte bleue~~
- ~~prix~~
- ~~pouvez~~
- ~~ce~~
- ~~accessoires (x 2)~~
- ~~ces~~
- ~~cette~~

ACCESSADO

le site des ...*accessoires*... à petits ...*prix*... !

Vous ...*pouvez*... acheter ...*cette*... écharpe, ...*ce*... sac à dos et ...*ces*... lunettes pour 49,99 €.

Achetez avec votre *carte bleue* à partir de 1 €

Accessado, le site des ...*accessoires*... pas ...*chers*... !

Décrire son style

4

Écris des questions avec *quel(le)(s)*, comme dans l'exemple.

a – Tu as ...*quel style*........................... ?
– J'ai un style classique.

b – Tu aimes ...*quelle marque?*................ ?
– J'aime cette marque, elle est bien !

c – Tu aimes ...*quels jeans?*.................... ?
– J'aime les jeans larges !

d – Tu achètes ...*quelle ceinture*............ ?
– J'achète cette ceinture, elle est originale !

e – Tu portes ...*quelles baskets*.............. ?
– Je porte des baskets à la mode de la marque Ananas.

Tu préfères quelle jupe ?

Je préfère cette jupe, elle est cool !

Vérifie tes résultats p. 78.

APPRENDRE À APPRENDRE

Complète le dos des cartes « mots ».

uh

une

Pour apprendre ton vocabulaire : crée des cartes « mots » !

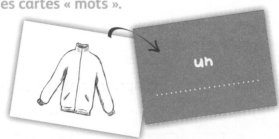

1 Décrivons notre logement

LIRE

1 Lis et complète la grille.

	🙂	🙁	Photo n°
a	✓		1
b	✓		3
c		✓	4
d		✓	2

a ▸ **M**oi, je préfère habiter en ville. C'est cool !

b ▸ **J**'ai un frère et une sœur et mes grands-parents habitent avec nous. On a une grande maison. C'est super !

c ▸ **O**n habite dans un petit appartement et ma petite sœur et moi on est dans la même chambre. Je n'aime pas ça.

d ▸ **J**'habite à la campagne mais ce n'est pas super.

VOCABULAIRE

2 Les pièces et les meubles. **Écris le nom des pièces et des meubles.**

a la c u i s i n e

b le s a l o n

c les t o i l e t t e s

d la c h a m b r e

e la s a l l e d e b a i n s

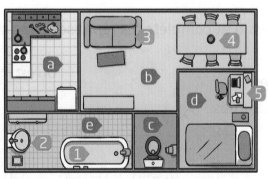

1 la b a i g n o i r e

2 le l a v a b o

3 le c a n a p é

4 la t a b l e

5 le b u r e a u

PRONONCER

3 🔊29 Les sons [s] et [z]. **Écoute et récite.**

Soline et Zélie
Sont dans la cuisine

Samson et Suzon
Sont dans le salon

Et puis sur une chaise
C'est leur cousin Blaise

Six, sept pièces dans cette maison !
C'est la maison de Simon

Organisons notre chambre

Le verbe *venir*

1 Complète la grille avec les formes du verbe *venir*.
Mets les étiquettes à leur place, comme dans l'exemple.

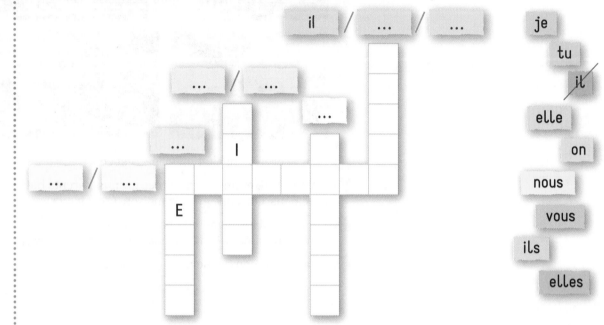

je / tu / il / elle / on / nous / vous / ils / elles

Les prépositions de lieu

2 Regarde le dessin et complète les réponses avec *dans, sous, sur, à côté de*.

a — Ton téléphone est *dan* .... ton sac à dos.

Où est mon ... ?

c — Ton livre de français est *sous* .... ton bureau.

b — Ton casque est *sur* .... ta chaise.

d — Ton stylo est *à côté de* .... ton ordinateur.

Donner des conseils

3 **Entoure les conseils.**

a Nous faisons nos devoirs le soir.

b Allez au collège ensemble !

c Faites de la place sur votre bureau !

d Tu invites des amis chez toi.

e Installe une petite lampe à côté de ton lit !

f Vous achetez une lampe.

4 **Mets les phrases à l'impératif, comme dans l'exemple.**

▸ Vous rangez votre chambre > *Rangez votre chambre !*

a Vous faites vos devoirs sur votre bureau.
> *faites vos devoirs* !

b Tu affiches tes photos sur le mur.
> *Affiches tes photos* !

c Nous installons l'ordinateur dans notre chambre.
> *Installer l'ordinateur* !

d Vous organisez votre chambre.
> *Organisez votre chambre* !

e Tu ranges ton bureau.
> *Ranges ton bureau* !

3

Parlons de nos activités quotidiennes

Téléphoner et répondre au téléphone

1 **Reconstitue deux échanges téléphoniques.**

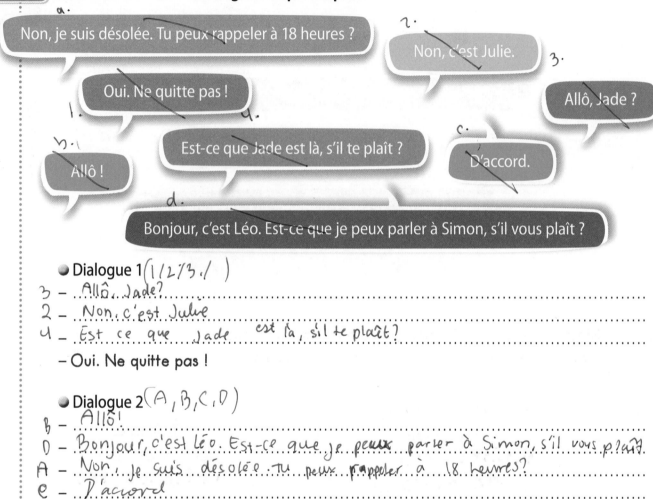

a. Non, je suis désolée. Tu peux rappeler à 18 heures ?

2. Non, c'est Julie.

3. Allô, Jade ?

1. Oui. Ne quitte pas !

4. Est-ce que Jade est là, s'il te plaît ?

c. D'accord.

b. Allô !

d. Bonjour, c'est Léo. Est-ce que je peux parler à Simon, s'il vous plaît ?

● **Dialogue 1** (1 / 2 / 3 /)

3 – Allô, Jade?

2 – Non, c'est Julie

4 – Est ce que Jade est là, sil te plaît?

– Oui. Ne quitte pas !

● **Dialogue 2** (A , B , C , D)

B – Allô!

D – Bonjour, c'est Léo. Est-ce que je peux parler à Simon, s'il vous plaît?

A – Non, je suis désolée. Tu peux rappeler à 18 heures?

C – D'accord

Les verbes pronominaux

2 **Trouve le verbe et conjugue-le à la personne donnée.**

a	se alvre	se laver	> je lave
b	s'blharile	s'habiller	> tu t'habilles
c	se raperpré	se préparer	> il/elle/on il prépare
d	se ervel	se lever	> nous levons
e	se rmorenpe	se promener	> vous vous promenez
f	se orucech	se coucher	> ils/elles couchent

Les activités quotidiennes

3 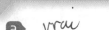 **Écoute. Vrai ou faux ? Justifie tes réponses.**

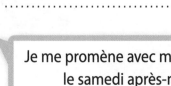

Je me lève tôt le samedi et le dimanche.

Je me lève tard le samedi et le dimanche. ✗

a vrai ....
....
....

a Faux l'école ....
....
....

Je me promène avec mes parents le samedi après-midi.

Le samedi matin, je reste dans ma chambre pour faire mes devoirs. ✓

b faux, Parce que elle organise la chambre ....

b Vrai ....
....
....

Je me couche tôt le dimanche soir. ✓

Le dimanche, je fais du sport. ✓

c Vrai Parce que lundi elle le collage ....

c Faux ....
....

vidéo je me ve tôt

---

4 **Complète les activités de Yann et associe-les aux dessins.**

..c.. **1** Le samedi, Yann ....se lève.................................... à 9 heures.
..f.. **2** Il va dans la salle de bains et il ...se....douche................ .
..a.. **3** Il ....se....prépare/s'habille................ dans sa chambre.
..d.. **4** Il ....range.......................... sa chambre.
..e.. **5** Il ....fait.......................... ses devoirs.
..g.. **6** Il ....regarde...................... la télévision avec ses parents.
..b.. **7** Il ....se.....couche.................... tard.

Écoute. Associe ces artistes et designers français à leur meuble.

B Le designer Philippe Starck (1949)

A Le sculpteur Arman (1928-2005)

C L'architecte et designer Jean Prouvé (1901-1984)

D Le designer Olivier Mourgue (1939)

Écrire

Tu invites tes copains à une petite fête chez toi. Écris l'invitation.

Salut les copains !

....

....

....

....

ASTUCE

Vous êtes libres samedi soir ? ← point d'interrogation pour une question

Venez chez moi pour une « soirée pyjama » !

guillemets pour une expression   point d'exclamation pour inviter ou conseiller

Autoévaluation

Décrire son logement

1 ..../4

Écoute et écris dans la grille le nom des meubles. Devine de quelle pièce ils parlent.

	Meubles	Pièces
1		
2		
3		
4		

2 33 ..../2

Regarde le plan. Écoute et entoure l'ado qui habite dans cet appartement.

Océane

Lucas

Organiser sa chambre

3 ..../4

Remets le dialogue dans l'ordre et conjugue le verbe *venir*.

a ...1......
Coucou Amel, tu as ta nouvelle chambre ?

b ...4...
Alors ...ils..peuvent tous les trois. On peut jouer à des jeux vidéo.

c ...2.....
Oui, elle est super cool ! Tu peux venir cet après-midi ?

d ...5....
Ok ! Super ! Je ...viens....... avec eux.

e ...3.....
Je ne peux pas, mes cousins sont avec moi. Ils ne ...viennent.............. pas souvent chez moi.

Choisis un verbe dans la liste et complète les phrases à l'impératif.
Puis entoure la préposition correcte.

| afficher | ranger (x 2) | installer (x 2) |

a Isa, ... tes stylos *sous / dans / sur* des pots !

b Fred et Axel, ... une lampe *sous / dans / sur* le bureau.

c Clément, ... une lampe *dans / à côté de / sur* ton ordinateur !

d Tania et Léo, ... votre emploi du temps *sous / dans / sur* le mur.

e Lola, ... tes livres *sous / à côté de / dans* ton bureau.

Parler de ses activités quotidiennes

Complète les dialogues avec les mots suivants.

| rappelle | se prépare | appeler | ne quitte pas | est-ce qu' | désolée |

| là | parler | d'accord | c'est | peux |

Quentin : Allô, bonjour, c'est Quentin. .... Emma est
.... , s'il vous plaît ?

La mère : Oui, mais elle est dans la salle de bains. Elle ....
Tu .... rappeler à 9 heures et demie ?

Quentin : .... Merci !

Plus tard…

Quentin : Allô, bonjour. Est-ce que je peux .... à Emma,
s'il vous plaît ?

La mère : .... ! Emma !

Le père : Elle est à son cours de judo.

La mère : Oh, je suis .... Elle est au judo. Tu peux
.... cet après-midi ?

Quentin : OK, je .... à 14 heures. Merci !

Vérifie tes résultats p. 79. .... /20

APPRENDRE À APPRENDRE

Souligne les phrases qui te correspondent et classe-les par ordre de préférence.

Pour faire mes devoirs à la maison… a ... Je m'installe dans ma chambre.

b ... Je range mon bureau.

c ... Je fais des exercices. d ... Je m'installe dans le salon, devant la télé.

e ... Je relis la leçon d'aujourd'hui. f ... Je téléphone à un(e) camarade quand je ne comprends pas.

Pour bien faire tes devoirs : g ... J'utilise Internet quand je ne comprends pas.
choisis comment t'organiser !

Parlons de destinations de rêve

Et vous quel est quelles sont votre / vos destination de rêve.

ÉCOUTER

1 🔊 34 Écoute. Écris les destinations de rêve de chaque membre de la famille.

Londres

l'inde

L'Espagne

Japon Chione Mexico

australie etas unie

VOCABULAIRE

2 Les pays, les îles et les continents. **Entoure dans la grille neuf pays (en bleu)**, **une île (en rouge) et cinq continents (en vert).**

bleu ~~bleu~~ *purple*

C	U	L	E	A	N	G	L	E	T	E	R	R	E	Y	G
I	U	A	U	S	T	R	A	L	I	E	A	U	Q	T	J
Q	A	R	R	T	B	F	R	A	N	C	E	G	O	F	U
Y	H	K	O	D	O	A	S	I	E	U	G	R	I	F	O
E	C	L	P	Q	T	O	D	A	E	Z	M	È	O	V	H
I	P	N	E	Y	I	W	H	E	O	U	Q	C	I	J	U
M	A	D	A	G	A	S	C	A	R	E	U	E	Y	F	M
A	Y	V	E	E	M	E	O	E	B	Q	B	X	H	S	E
C	V	B	A	B	É	S	L	A	R	I	O	M	Y	Q	T
I	W	I	F	U	R	P	O	U	É	T	V	Z	H	D	U
G	A	T	R	E	I	A	M	K	S	B	U	S	X	Y	S
W	G	E	I	O	Q	G	B	A	I	J	A	P	O	N	N
D	D	B	Q	V	U	N	I	A	L	B	B	N	Z	O	Z
C	O	J	U	A	E	E	E	Y	S	T	Y	E	L	W	I
A	S	M	E	X	I	Q	U	E	S	A	I	E	A	Z	E
O	Y	N	K	L	E	O	C	É	A	N	I	E	M	K	F

PRONONCER

3 🔊 35 Le son [ɔ̃]. Écoute et récite.

Non, non, non
Mon oncle Simon
Ne va pas à Lyon

Non, non, non
Mon tonton Gaston
Ne va pas à Toulon

Simon et Gaston
Font le tour du monde
Le onze, ils vont au Gabon
Puis destination Japon !

Faisons des projets de vacances

Le verbe *partir*

1 Associe.

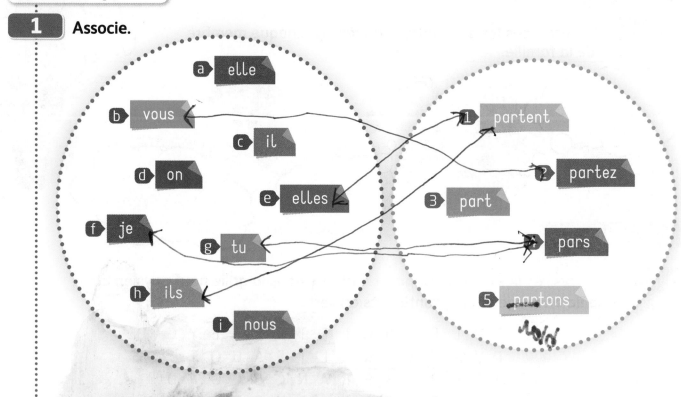

a elle
b vous
c il
d on
e elles
f je
g tu
h ils
i nous

1 partent
2 partez
3 part
4 pars
5 partons

Le futur proche

2 Conjugue les verbes au futur proche.

a Lucie ....va.. **partir** en colonie de vacances.

b Je ....vais... **faire** de l'escalade.

c Nous ....allons... **visiter** Londres.

d Tu ....vas.. **aller** à Rome.

e Vous ....allez.. **rester** à la maison.

f Ninon et Xavier ....vont.......................... **se baigner** dans une rivière.

3 Mets les mots dans l'ordre pour faire des phrases.

a ne / Je / pas / en / vacances. / partir / vais

Je ne vais pas partir en vacances

b visiter / va / ne / Madrid. / Clara / pas

Clara ne va pas visiter Madrid

c allons / plongée. / de / Nous / pas / n' / faire

Nous n'allons pas faire de plongée

d la / pas / n' / à / rester / allez / plage. / Vous

Vous n'allez pas rester à la plage

e dans / Elle / se / ne / mer. / pas / baigner / va / la

Elle ne va pas sebaigner dans la mer

Les activités de vacances

4 🎧 36 **Écoute et associe.**

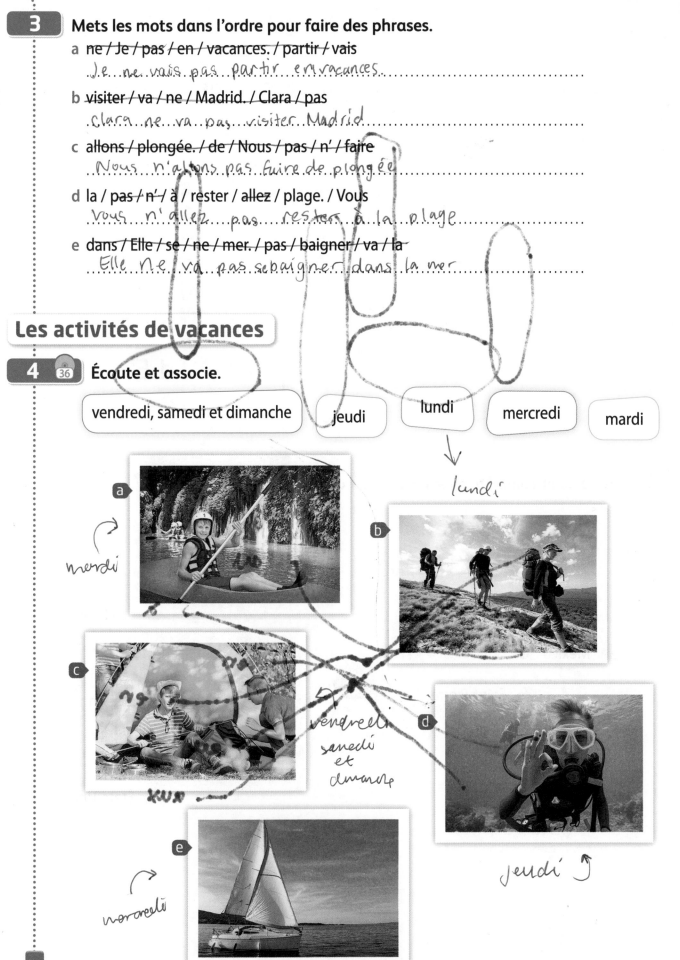

vendredi, samedi et dimanche   jeudi   lundi   mercredi   mardi

Racontons un voyage

Les prépositions devant les noms de pays, d'îles et de villes

1 Entoure les pays féminins.

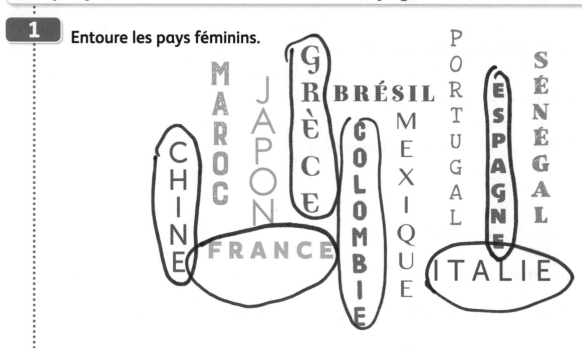

2 Associe et complète avec *en*, *au*, *aux* ou *à*.

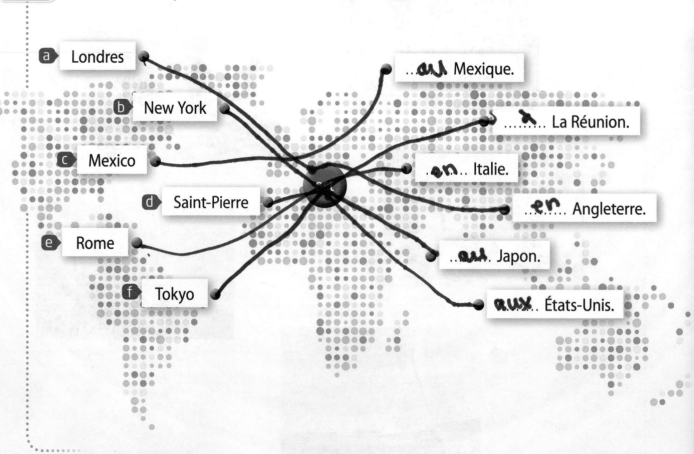

a Londres

b New York

c Mexico

d Saint-Pierre

e Rome

f Tokyo

...au... Mexique.

.... La Réunion.

..en... Italie.

..en... Angleterre.

..au... Japon.

..aux... États-Unis.

Localiser

3 Regarde la carte de France et complète avec *au nord (de), au sud (de), à l'est (de), à l'ouest (de), au centre (de).*

a Bourges est ......au........ ....centre de....... la France.

b Lille est ......au nord de....... .... Paris.

c Paris est ......À l'est......... .....de....... Brest.

d Paris est ......À ouest........... .... Strasbourg.

e Avignon est ....A sud de.......... .... Lyon.

(carte de France avec les villes : Lille, Arras, Amiens, Laon, Charleville-Mézières, Rouen, Beauvais, Metz, Saint-Lô, Caen, Evreux, Châlons-sur-Marne, Bar-le-Duc, Nancy, Strasbourg, Brest, Saint-Brieuc, Rennes, Alençon, Chartres, Paris, Troyes, Epinal, Colmar, Quimper, Laval, Le Mans, Orléans, Chaumont, Vesoul, Belfort, Vannes, Angers, Tours, Blois, Auxerre, Dijon, Besançon, Nantes, Bourges, Nevers, Lons-le-Saunier, Poitiers, Châteauroux, La Roche-sur-Yon, Niort, Moulins, Mâcon, Bourg, La Rochelle, Guéret, Annecy, Angoulême, Limoges, Clermont-Ferrand, Saint-Etienne, Lyon, Chambéry, Tulle, Le Puy, Grenoble, Périgueux, Aurillac, Valence, Bordeaux, Cahors, Mende, Privas, Gap, Agen, Rodez, Digne, Mont-de-Marsan, Montauban, Albi, Nîmes, Avignon, Nice, Auch, Montpellier, Marseille, Pau, Toulouse, Tarbes, Carcassonne, Toulon, Foix, Perpignan, Bastia, Ajaccio)

Parler du temps

4 Décode les phrases. Puis associe-les aux dessins (plusieurs réponses possibles).

a	n
b	o
c	p
d	q
e	r
f	s
g	t
h	u
i	v
j	w
k	x
l	y
m	z

3 a > Il fait chaud.

6 b > Il pleut.

1 c 1 5 > Il fait 1 5 degrés.

4 d > Il y a du soleil.

5 e > Il fait froid.

2 f > Il neige.

CULTURES

37 **É**coute et associe chaque Statue de la liberté à son pays.

a

b

c

d

FRANCE   **ALLEMAGNE**   **JAPON**   **BRÉSIL**

Écrire

⤷ **Tu es en vacances dans un lieu de rêve. Écris une carte postale à un(e) ami(e).**

....
....
....
....
....
....

Astuce

Cher Simon, / **Chère** Alice, / **Chers** amis, / **Chères** amies, ◁
Salut Simon ! / **Salut** les amis ! ◁ —————— Au début de la carte postale

À bientôt ! / Bisous / Bises ◁ —————— À la fin de la carte postale

Simon Bohé	prénom + nom
25 rue du Petit Pont	numéro + rue
69001 Lyon	code postal + ville
France	pays

Pour écrire l'adresse

Autoévaluation

Parler de destinations de rêve

1 ... /5

Retrouve les pays puis fais des phrases, comme dans l'exemple. Varie les formules pour parler de la destination de rêve.

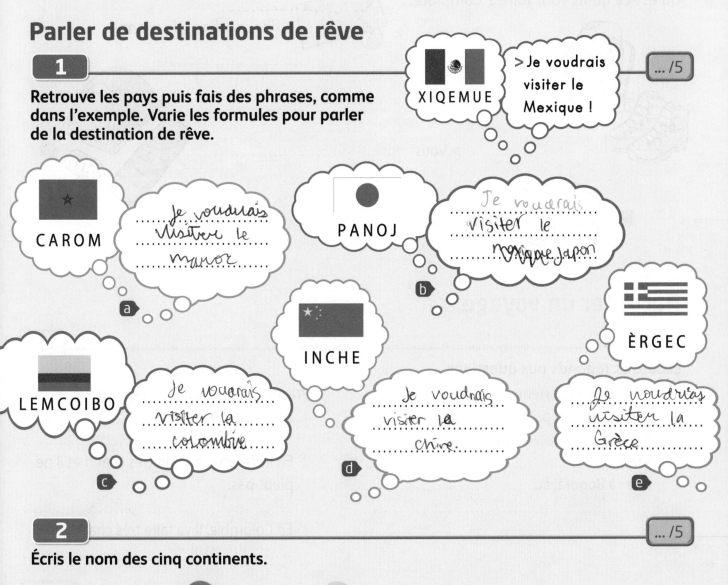

XIQEMUE — > Je voudrais visiter le Mexique !

CAROM — *Je voudrais visiter le Maroc* **a**

PANOJ — *Je voudrais visiter le Mexique Japon* **b**

LEMCOIBO — *Je voudrais visiter la colombie* **c**

INCHE — *Je voudrais visiter la Chine.* **d**

ÈRGEC — *Je voudrais visiter la Grèce* **e**

2 ... /5

Écris le nom des cinq continents.

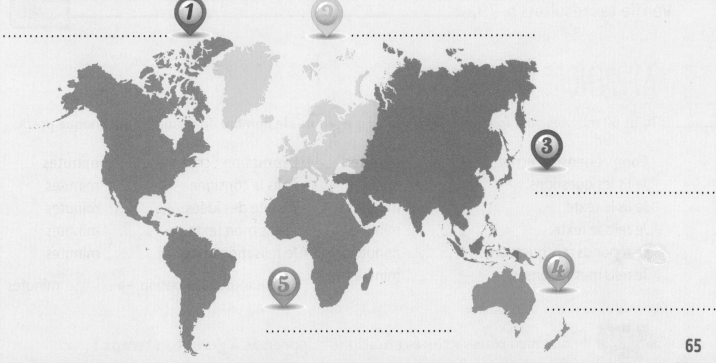

① ....
②
③ ....
④ ....
⑤ ....

Faire des projets de vacances

Qu'est-ce qu'ils vont faire ? Complète.

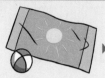

▸ Elle va aller à la plage.

a > Ils .vont aller...........................

....

> Vous allez aller........................

....

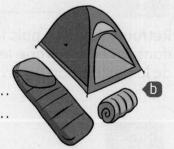

b

c > Nous allons aller....................

....

Raconter un voyage

Écoute et réponds aux questions.

a Où est-ce qu'ils partent en vacances ?

1 Julien : sur une petite ....
à .... d'Athènes.

2 Samir : ....

3 Ana : à Bogota, au ....
....

b Vrai ou faux ? Justifie tes réponses.

1 Julien aime le soleil.
....

2 En Inde, en été, il fait très chaud et il ne
pleut pas.
....

3 En Colombie, il va faire très chaud.
....

Vérifie tes résultats p. 79. ... /20

APPRENDRE À APPRENDRE

Tu as 30 minutes pour faire une évaluation. Lis et choisis le nombre de minutes pour chaque partie.

Compréhension écrite	→ .... minutes	Expression écrite	→ .... minutes
Je lis les questions.	→ .... minutes	Je lis la consigne.	→ .... minutes
Je lis le texte.	→ .... minutes	Je note des idées.	→ .... minutes
Je relis le texte.	→ .... minutes	J'écris mon texte.	→ .... minutes
Je réponds aux questions.	→ .... minutes	Je relis mon texte.	→ .... minutes
Je relis mes réponses.	→ .... minutes		
		Je relis toute l'évaluation.	→ .... minutes

Pour bien réussir tes évaluations : apprends à gérer ton temps !

Disciplines
non linguistiques

Mon cours d'informatique

1 39 **Voici le clavier français. Écoute et entoure la ou les touche(s) correcte(s).**

POUR ALLER
PLUS LOIN

2 **Complète avec les mots suivants.**

un clavier   une touche   un écran   une application   une tablette

a une a............................

b un é............................

c une ta............................

d un c............................

e une t............................

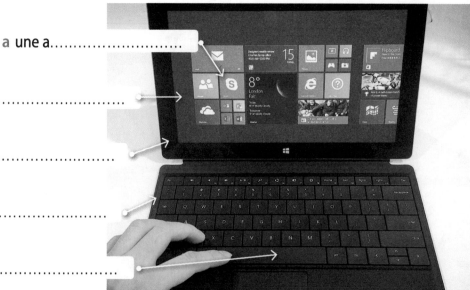

Mon cours de musique

1 Classe les instruments. Ajoute un instrument que tu connais dans chaque catégorie.

▸ le saxophone

a le xylophone

b le violon

c la trompette

d la harpe

e le tambourin

f la clarinette

Les instruments à vent	Les instruments à cordes	Les instruments à percussions
le saxophone	....	....
....	....	....
....	....	....
....		

POUR ALLER PLUS LOIN

2 Lis puis complète avec les mots en couleurs.

a la c............................

b si ....

Sur la partition, il y a des notes.
La première note est un do.
Il y a un si bémol à la clé et un ré dièse.

do ré mi fa sol la si do

c ré ....

d les ....

POUR ALLER PLUS LOIN

3 🔊40 Écoute et écris les notes sur la partition.

Mon cours d'enseignement civique et moral

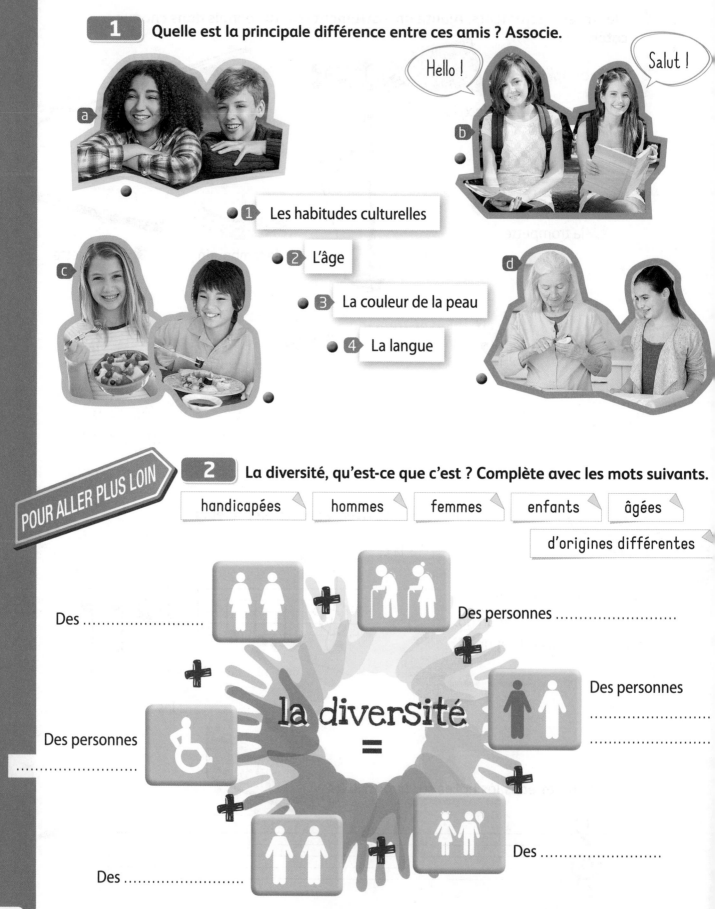

1 Quelle est la principale différence entre ces amis ? Associe.

Hello !

Salut !

a

b

1 Les habitudes culturelles

2 L'âge

3 La couleur de la peau

4 La langue

c

d

POUR ALLER PLUS LOIN

2 La diversité, qu'est-ce que c'est ? Complète avec les mots suivants.

handicapées   hommes   femmes   enfants   âgées

d'origines différentes

Des ....   +   Des personnes ....

+   Des personnes ....

Des personnes ....   la diversité   =

Des ....   +   Des ....

Mon cours d'éducation physique et sportive

1 **Classe les sports par catégorie. (Plusieurs réponses possibles.)**

~~le football~~ – le volley-ball – l'escrime – la natation – le hockey – ~~le skateboard~~ –
le handball – le judo – le karaté – l'équitation – le ski – ~~la boxe~~

Les sports d'équipe
le football

....
....
....

Les sports de combat
la boxe

....
....
....

Les sports individuels
le skateboard

....
....
....

POUR ALLER PLUS LOIN

2 **Relie les actions et les photos.**

a taper dans la balle
b marquer un but
c marquer un panier
d nager
e sauter
f courir
g lancer

POUR ALLER PLUS LOIN

3 **Lis les devinettes et complète avec le nom du sport. Aide-toi des étiquettes.**

| ATILÉTHSME | ERISCME | PIH-OPH | DBHANALL |

a C'est un sport d'équipe. On lance le ballon avec la main dans un but.
  C'est le ....

b C'est un sport de combat. On touche son adversaire avec un fleuret.
  C'est l' ....

c C'est un sport individuel. On danse sur de la musique rap.
  C'est le ....

d C'est une catégorie de sports individuels. On saute, on court, on lance.
  C'est l' ....

Mon cours de mathématiques

1 Calcule et complète.

Une journée = 12 heures.

Une heure = 60 minutes.

a Une journée et une nuit = ... heures.

b Deux journées et deux nuits = ... heures.

c Une demi-journée = ... heures.

d Un quart d'heure = ... minutes.

e Trois quart d'heure = ... minutes.

POUR ALLER PLUS LOIN

2 Écoute. Écris les opérations et trouve les résultats. Puis associe-les aux résultats de l'exercice **1**.

1 ▸ Soixante divisé par quatre égale ?

> 60/4 = 15 ——————————————

a

x → fois

2 ....

b

/ → divisé par

3 ....

c

+ → plus

4 ....

d

= → égale

5 ....

e

Mon cours d'arts plastiques

1 **Relie les techniques artistiques au matériel nécessaire.
(Plusieurs réponses sont possibles.)**

c des ciseaux

a de la peinture

b un crayon

d une toile

h de la colle

Le dessin

la sculpture

la peinture

le collage

e de la terre

g des pinceaux

f du papier

POUR ALLER PLUS LOIN

2 **Lis les phrases. Complète la grille avec les noms des techniques
correspondantes.**

L'aquarelle est une technique de peinture à l'eau.

L'huile est une peinture spéciale.
On n'utilise pas d'eau.

Le fusain est une technique de dessin en noir et blanc.

Le pastel est une technique de dessin
avec des craies de couleur.

Mon cours de géométrie

1 **Calcule les surfaces. Écris l'opération.**

Largeur x Longueur = surface

a Ma chambre fait quatre mètres sur cinq mètres.
Sa surface est de .... mètres carrés.
> 4 m x 5 m = ... m².

b Notre salle de bains fait douze mètres carrés,
sa longueur est de trois mètres.
Elle fait .... mètres de largeur.
> .... m² / .... m = ... m.

c Notre cuisine fait 7 mètres de longueur
et a une surface de 28 mètres carrés.
Sa largeur est de .... mètres.
> .... = ...

d J'ai un grand bureau, il fait un mètre vingt
sur un mètre cinquante.
Il fait .... mètres carrés.
> .... = ...

POUR ALLER PLUS LOIN

2 **Lis, complète les mesures de la chambre de Florine et dessine ce qui manque.**

Ma chambre fait sept mètres
de longueur et quatre mètres de
largeur. Mon lit est à un mètre
de la porte. Il mesure un mètre
quarante sur deux mètres. À gauche
de la porte, sur le mur de quatre
mètres, j'ai une étagère de un mètre
soixante de large. Sur l'autre mur
de sept mètres, il y a une fenêtre
au centre, elle fait un mètre vingt
de large. Mon bureau est devant
la fenêtre, à cinquante centimètres
du mur. Il mesure un mètre de large
sur un mètre trente de long.

Échelle : 1 mètre (en réalité)
= 1 centimètre (sur le plan)

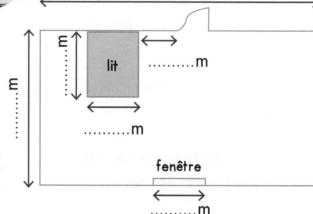

...........m

lit

...........m

m

...........m

fenêtre

...........m

Mon cours de géographie

1 🎧 42 **Écoute et trouve où ils habitent.**

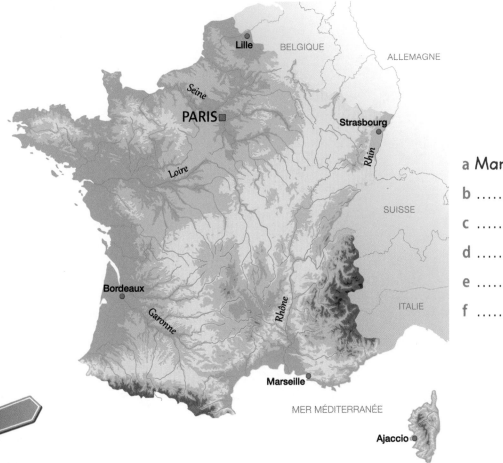

a Marseille.

b ....

c ....

d ....

e ....

f ....

OUR ALLER
US LOIN

2 **Observe la carte et complète avec le nom des régions.**

a Lille est dans la région ....
....

b Paris est en ....
....

c Strasbourg est dans la région ....
....

d Bordeaux est dans la région ....
....

e Marseille est en ....
....

f Ajaccio est en ....
....

Corrigés des autoévaluations

Étape 1

1 a Mon pseudo, c'est Titine75. – b Je m'appelle Léo. – c Mon prénom, c'est Joëlle. – d Ludo, c'est mon surnom. – e C'est mon pseudo sur Internet. – f Mon nom de famille, c'est Roussel.

2 Séverine – Éloïse – Jérôme
Adèle
Benoît – Jérôme
Loïc – Éloïse

3 a – Bonjour monsieur Garnier. / – Bonjour Théo, ça va ? / – Ça va, et vous ? > Dessin 3
b – Coucou Ninon, ça va ? / – Salut Mathis ! Ça va, et toi ? > Dessin 4
c – Elles s'appellent Isabelle et Anne ? / – Non, Isa et Anna. > Dessin 5
d – Salut Kevin ! / – Salut ! À demain ! > Dessin 2
e – Je m'appelle Emma. Et toi, comment tu t'appelles ? / – Moi, c'est Nathan. > Dessin 1

4 dialogue 1 : photo a – dialogue 2 : photo c – dialogue 3 : photo e

5 a Sur Internet, nous sommes Girly1 et Girly2. – b Luzmog, c'est mon pseudo sur Internet. – c Mon avatar est un animal. – d Virgile et Saliou, ce sont des copains. – e Nous sommes amis sur « Resoado ».

Étape 2

1 a Je préfère la pop, et toi ? – b Julia est fan de musique ! – c Tu as une chanson préférée ? – d Alex joue de la guitare dans un groupe. – e C'est une chanteuse de rap ?

2 a trente-trois : 33 – b trente-deux : 32 – c dix-huit : 18 – d vingt et un : 21 – e : 11 : onze – f seize : 16 – g vingt : 20

3 *Réponses au choix* : ♡♡ = J'adore – ♡ = J'aime – 🚫 = Je n'aime pas – 🚫🚫 = Je déteste

4 a Laurie ne joue pas dans un groupe, elle danse et elle chante. – b Marie et Lina ne chantent pas et ne dansent pas, elles écoutent des chansons. – c Benjamin, Simon et Loïc ne regardent pas des clips sur Internet, ils jouent dans un groupe.

5 a 2 – b 3 – c 4 – d 1

Étape 3

1 a Aram parle français et hindi. – b À la maison, nous parlons coréen. – c Je parle italien et roumain. – d Ahmed est bilingue arabe-anglais.

2 Voici la famille Salih. Les enfants, Rose, Léo et Juliette, sont trilingues : ils parlent français avec Laura, la mère, arabe avec le père, Abdou, et anglais à l'école.

3 Je m'appelle Justin et voici ma famille. Mes parents s'appellent Stéphane et Noémie. Mon frère, c'est Tom et, ma sœur, c'est Sarah. Mes grands-parents s'appellent Roger et Elena. Mon oncle s'appelle Philippe et ma tante s'appelle Alice. Leur fille s'appelle Lily, c'est ma cousine. Mais je n'ai pas de cousin.

4 a Elle, elle est allemande et son drapeau est noir, rouge et jaune. – b Moi, je suis japonais/japonaise et mon drapeau est rouge et blanc. – c Eux, ils sont ivoiriens et leur drapeau est orange, blanc et vert. – d Toi, tu es mexicain/mexicaine et ton drapeau est vert, blanc et rouge. – e Elles, elles sont chinoises et leur drapeau est rouge et jaune.

5 Les ressemblances : d'origine espagnole – on aime la musique – on joue de la guitare.
Les différences : il parle espagnol avec sa famille, pas moi – lui, il est fan de rock. Moi, je préfère l'électro – il a 14 ans et, moi, j'ai 12 ans.

Étape 4

1 (2 pts) **a** jambes / judo / excellent / bras > Le judo, c'est excellent pour les bras et les jambes.
(1 pt) **b** danse / corps > La danse : pour être bien dans mon corps !
(1 pt) **c** sauter / basket > Le basket : j'adore sauter !

2 lundi : sport à l'école – mardi : sport à l'école – mercredi : tennis – jeudi : rugby – vendredi : natation – samedi et dimanche : roller avec les copains / foot avec mon père

3 **a** Est-ce que tu fais du football le samedi ? > Non, je fais du rugby. – **b.** Qu'est-ce qu'elle préfère comme sport ? > Elle préfère la natation.

4 Carte : Yeux : bleus – Cheveux : châtain
C'est/Elle s'appelle Mathilde Jouly, elle fait du football. Elle a 12 ans. Elle est petite./Elle n'est pas très grande. Elle mesure/Elle fait un mètre quarante. Elle a les yeux bleus et les cheveux longs, châtain./Elle est châtain.

....

Étape 5

1 (3 pts) 8 h 15 - 9 h 15 : maths – 9 h 15 - 10 h 15 : anglais – 10 h 30 - 11 h 30 : / – 13 h 45 - 15 h 45 : arts plastiques
(2 pts) **a** Parce que la prof d'anglais est cool. – **b** Parce que la prof de français n'est pas là.

2 **a** En France, on est en hiver du 21 décembre au 20 mars. – **b** Du 21 mars au 20 juin, on est au printemps. – **c** Et l'été, c'est du 21 juin au 20 septembre. – **d** Et l'automne, c'est du 21 septembre au 20 décembre.

3 **a** Elle est à la bibliothèque. – **b** Il est à la cantine. – **c** Ils sont au gymnase. – **d** Ils sont dans une salle de classe.

4 **a** Où est-ce que tu vas après la classe ? – **b** Quand est-ce qu'on s'inscrit à la journée Portes ouvertes ?

5 **a** Ce n'est pas possible. Je ne suis pas libre. – **b** Tu es libre samedi après-midi ? On va à la fête du Printemps avec Nina. Rendez-vous au collège à 15 heures.

....

Étape 6

1 **a** Bastien et Antonin ont le même tee-shirt. – **b** 99 % des vêtements de Bastien sont des vêtements de marque. – **c** 40 % ou 30 % des vêtements d'Antonin sont des vêtements de marque. – **d** Bastien aime le pull mais pas le pantalon d'Antonin. – **e** 100 % des chaussures de Bastien sont des chaussures de marque.

2 **f** Regarde, il est beau ce chapeau ! – **d** Oui, il coûte combien ?/Oui, combien il coûte ? – **c** Il coûte 15 €. – **e** Ce n'est pas cher ! – **a** Tu peux acheter sur Internet, toi ? – **b** Non, mais mes parents peuvent avec leur carte bleue !

3 Accessado, le site des accessoires à petits prix ! Vous pouvez acheter cette écharpe, ce sac à dos et ces lunettes pour 49,99 €. Accessado, le site des accessoires pas chers ! Achetez avec votre carte bleue à partir de 1 €.

4 **a** Tu as quel style ? – **b** Tu aimes quelle marque ? – **c** Tu aimes quels jeans ? – **d** Tu achètes quelle ceinture ? – **e** Tu portes quelles baskets/des baskets de quelle marque ?

....

Étape 7

1

	Meubles	Pièces
1	un lit – un bureau – des étagères	la chambre
2	un canapé	le salon
3	un lavabo – une baignoire	la salle de bains
4	une table	la cuisine

2 Lucas

3 1 a – 2 c – 3 e / viennent – 4 b / venez – 5 d / viens

4 a Isa, range tes stylos dans des pots !
b Fred et Axel, installez une lampe sur le bureau.
c Clément, installe une lampe à côté de ton ordinateur !
d Tania et Léo, affichez votre emploi du temps sur le mur.
e Lola, range tes livres à côté de ton bureau.

5 Quentin : Allô, bonjour, c'est Quentin. Est-ce qu'Emma est là, s'il vous plaît ?
La mère : Oui, mais elle est dans la salle de bains. Elle se prépare. Tu peux rappeler à 9 heures et demie ?
Quentin : D'accord. Merci !
Quentin : Allô, bonjour. Est-ce que je peux parler à Emma s'il vous plaît ?
La mère : Ne quitte pas ! Emma !
Le père : Elle est à son cours de judo.
La mère : Oh, je suis désolée. Elle est au judo. Tu peux appeler cet après-midi ?
Quentin. Ok, je rappelle à 14 heures. Merci !

....

Étape 8

1 a Maroc / Je voudrais visiter / Je rêve de visiter / Ma destination de rêve est le Maroc.
b Je voudrais visiter / Je rêve de visiter / Ma destination de rêve est le Japon.
c Je voudrais visiter / Je rêve de visiter / Ma destination de rêve est la Colombie.
d Je voudrais visiter / Je rêve de visiter / Ma destination de rêve est la Chine.
e Je voudrais visiter / Je rêve de visiter / Ma destination de rêve est la Grèce.

2 1 L'Amérique – 2 L'Europe – 3 L'Asie – 4 L'Océanie – 5 L'Afrique

3 a Ils vont faire de la randonnée. – b Vous allez faire du camping. – c Nous allons faire de la plongée.

4 a 1 Julien : sur une petite île à l'est d'Athènes. – 2 Samir : dans le sud de l'Inde. – 3 Ana : à Bogota, au centre de la Colombie.
b 1 Vrai : « j'adore parce qu'il fait très beau » – 2 Faux : « il fait très chaud et il pleut beaucoup » –
3 Faux : « en juillet et août, c'est l'hiver, il ne va pas faire très chaud »

....

Achevé d'imprimer en juillet 2020 en Italie par L.E.G.O. S.p.A. Lavis
Dépôt légal : février 2016 - Édition 08
19/1646/3